Schritte international NEU 2

Niveau A1/2

Deutsch als Fremdsprache
Kursbuch und Arbeitsbuch

Daniela Niebisch
Sylvette Penning-Hiemstra
Franz Specht
Monika Bovermann
Angela Pude
Monika Reimann

Hueber Verlag

Beratung:
Oliver Bayerlein, Nagoya
Ádám Kovács-Gombos, Budapest
Christian Roll, Lima
Helga Lucía Valdraf, Monterrey

Foto-Hörgeschichte:
Darsteller: Constanze Fennel, Gerhard Herzberger, Philip Krause,
Mirjam Luttenberger, Paula Miessen u. a.

3. 2. 1. | Die letzten Ziffern
2020 19 18 17 16 | bezeichnen Zahl und Jahr des Druckes.
Alle Drucke dieser Auflage können, da unverändert,
nebeneinander benutzt werden.
1. Auflage

Umschlaggestaltung: Sieveking · Agentur für Kommunikation, München und Berlin
Zeichnungen: Hueber Verlag/Jörg Saupe
Fotoproduktion: Iciar Caso, Hueber Verlag, München
Fotos: Hueber Verlag/Matthias Kraus
Gestaltung und Satz: Sieveking · Agentur für Kommunikation, München und Berlin
Druck und Bindung: Firmengruppe APPL, aprinta druck GmbH, Wemding
Printed in Germany
ISBN 978–3–19–601082–4

Art. 530_19778_001_01

Aufbau

Symbole und Piktogramme

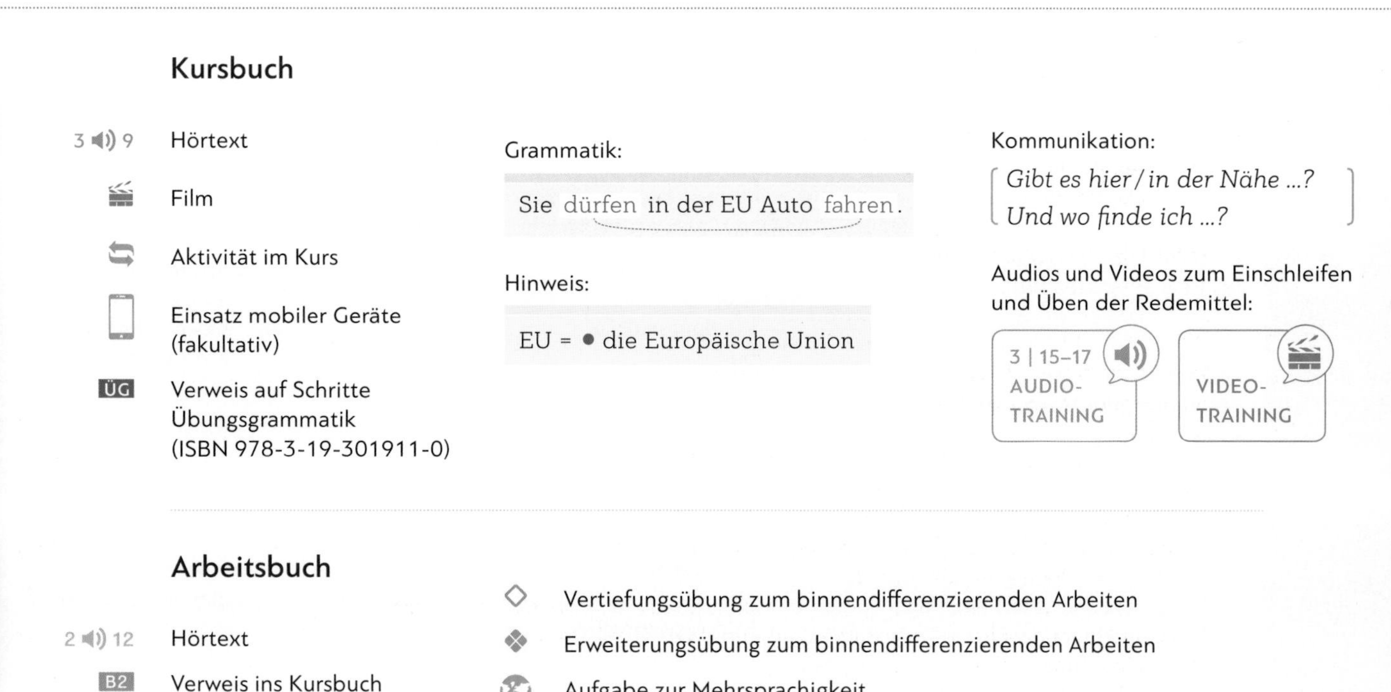

Inhaltsverzeichnis **Kursbuch**

D	E	Wortfelder	Grammatik
Praktikums- und Jobbörse · Anzeigen verstehen	**Am Telefon: Ist die Stelle noch frei?** · Telefongespräch: Informationen zu einer Praktikumsstelle erfragen	· Berufe · Arbeit · Praktikum	· Wortbildung Nomen: *der Arzt →* *die Ärztin, der Hausmann → die Hausfrau* · lokale Präposition *bei*: *Ich arbeite bei ...* · modale Präposition *als*: *Ich arbeite als ...* · temporale Präpositionen *vor, seit, für*: *vor einem Jahr* · Präteritum *sein, haben*: *war, hatte*
Informationsbroschüre · eine Informationsbroschüre verstehen	**Ein Zimmer buchen** · Angebote verstehen · ein Buchungsformular ausfüllen · Gespräche an der Hotelrezeption verstehen	· Regeln in Verkehr und Umwelt · Buchungsformular	· Modalverben *müssen, dürfen* · Satzklammer: *Sie müssen einen Antrag ausfüllen.* · Pronomen *man* · Imperativ: *Warten Sie bitte!* · Verbkonjugation: *helfen*
Eine Anfrage schreiben · Anzeigen verstehen · eine Anfrage schreiben	**Terminvereinbarung** · Telefongespräche zu Terminvereinbarungen verstehen · einen Termin vereinbaren, ändern oder absagen	· Körperteile · Krankheiten · E-Mail	· Possessivartikel: *dein, sein, ihr, unser, ...* · Modalverb *sollen* · Satzklammer: *Sie sollen zu Hause bleiben.*
Wir gehen zu Walter und holen das Auto. · Orte und Richtungen angeben	**Am Bahnhof** · Durchsagen verstehen · am Schalter: um Auskunft bitten · Fahrplänen Informationen entnehmen	· Einrichtungen und Orte in der Stadt · Verkehrsmittel	· Präposition *mit*: *Wir fahren mit dem Auto.* · lokale Präpositionen *an, auf, bei, hinter, in, neben, über, unter, vor, zwischen*: *Wo ...? – Auf dem Parkplatz.* · lokale Präpositionen *zu, nach, in*: *Wohin ...? – Zum Arzt.*
Nachrichten am Telefon · Mailboxnachrichten verstehen und formulieren	**Hilfe im Alltag** · Service-Anzeigen verstehen · Telefongespräch: Reparaturservice	· Reparaturservice · Dienstleistungen	· temporale Präpositionen *vor, nach, bei, in, bis, ab*: *Wann ...? – In einer Stunde. Ab wann ...? – Ab morgen.* · Konjunktiv II: *würde, könnte* · Satzklammer: *Könnten Sie mir bitte helfen?* · Verben mit verschiedenen Präfixen: *an-, aus-, auf-, zumachen*
Welche meinst du? – Na, diese. · Vorlieben erfragen · eine Auswahl treffen	**Im Kaufhaus** · um Hilfe/Rat bitten	· Kleidung und Gegenstände · Landschaften	· Demonstrativpronomen *der, das, die, dies-*: *die Jacke → Die ist gut! Dieses Hemd gefällt mir.* · Frageartikel *welch-*: *Welches Hemd?* · Personalpronomen im Dativ: *mir, dir, ...* · Verben mit Dativ: *gefallen, gehören, passen, ...* · Komparation *gut, gern, viel* · Verbkonjugation: *mögen*
Einladungen · Einladungen verstehen und schreiben	**Feste und Glückwünsche** · Feste nennen · Texte über Feste verstehen · Glückwünsche formulieren	· Monate · Feste · Glückwünsche	· Ordinalzahlen: *der erste, ...* · Personalpronomen im Akkusativ: *mich, dich, ...* · Konjunktion *denn*: *Wir feiern Abschied, denn Lara und Tim fahren nach Hause.* · Verbkonjugation: *werden*

Inhaltsverzeichnis **Arbeitsbuch**

Vorwort

Liebe Leserinnen, liebe Leser,

mit *Schritte international Neu* legen wir Ihnen ein komplett neu bearbeitetes Lehrwerk vor, mit dem wir das jahrelang bewährte und erprobte Konzept von *Schritte international* noch verbessern und erweitern konnten. Erfahrene Kursleiterinnen und Kursleiter haben uns bei der Neubearbeitung beraten, um *Schritte international Neu* zu einem noch passgenaueren Lehrwerk für die Erfordernisse Ihres Unterrichts zu machen. Wir geben Ihnen im Folgenden einen Überblick über Neues und Altbewährtes im Lehrwerk und wünschen Ihnen viel Freude in Ihrem Unterricht.

Schritte international Neu ...

- führt Lernende ohne Vorkenntnisse in 3 bzw. 6 Bänden zu den Sprachniveaus A1, A2 und B1.
- orientiert sich an den Vorgaben des Gemeinsamen Europäischen Referenzrahmens.
- bereitet gezielt auf die Prüfungen *Start Deutsch 1* (Stufe A1), *Start Deutsch 2* (Stufe A2) und das *Zertifikat Deutsch* (Stufe B1) vor.
- bereitet die Lernenden auf Alltag und Beruf vor.
- eignet sich besonders für den Unterricht mit heterogenen Lerngruppen.
- ermöglicht einen zeitgemäßen Unterricht mit vielen Angeboten zum fakultativen Medieneinsatz (verfügbar im Medienpaket sowie im Lehrwerkservice und abrufbar über die *Schritte international Neu*-App).

Der Aufbau von *Schritte international Neu*

Kursbuch (sieben Lektionen)

Lektionsaufbau:

- Einstiegsdoppelseite mit einer rundum neuen Foto-Hörgeschichte als thematischer und sprachlicher Rahmen der Lektion (verfügbar als Audio oder Slide-Show) sowie einem Film mit Alltagssituationen der Figuren aus der Foto-Hörgeschichte
- Lernschritte A–C: schrittweise Einführung des Stoffs in abgeschlossenen Einheiten mit einer klaren Struktur
- Lernschritte D+E: Trainieren der vier Fertigkeiten Hören, Lesen, Sprechen und Schreiben in authentischen Alltagssituationen und systematische Erweiterung des Stoffs der Lernschritte A–C
- Übersichtsseite Grammatik und Kommunikation mit Möglichkeiten zum Festigen und Weiterlernen sowie zur aktiven Überprüfung und Automatisierung des gelernten Stoffs durch ein Audiotraining und ein Videotraining sowie eine Übersicht über die Lernziele
- eine Doppelseite „Zwischendurch mal ...“ mit spannenden fakultativen Unterrichtsangeboten wie Filmen, Projekten, Spielen, Liedern etc. und vielen Möglichkeiten zur Binnendifferenzierung

Arbeitsbuch (sieben Lektionen)

Lektionsaufbau:

- abwechslungsreiche Übungen zu den Lernschritten A–E des Kursbuchs
- Übungsangebot in verschiedenen Schwierigkeitsgraden zum binnendifferenzierten Üben
- ein systematisches Phonetik-Training
- ein systematisches Schreibtraining
- Tipps zu Lern- und Arbeitstechniken
- Aufgaben zur Mehrsprachigkeit
- Aufgaben zum Selbstentdecken grammatischer Strukturen (Grammatik entdecken)
- Aufgaben zur Prüfungsvorbereitung
- Selbsttests am Ende jeder Lektion zur Kontrolle des eigenen Lernerfolgs der Teilnehmer
- fakultative berufsorientierte Fokusseiten

Anhang:

- Lernwortschatzseiten mit Lerntipps, Beispielsätzen und illustrierten Wortfeldern
- Grammatikübersicht

Außerdem finden Sie im Lehrwerkservice zu *Schritte international Neu* vielfältige Zusatzmaterialien für den Unterricht und zum Weiterlernen.

Viel Spaß beim Lehren und Lernen mit *Schritte international Neu* wünschen Ihnen

Autoren und Verlag

Die erste Stunde im Kurs

Hallo! Ich bin Lara Nowak. Ich bin zwanzig Jahre alt und komme aus Polen. Im Moment lebe ich aber in München. Hier gefällt es mir sehr gut. Ich gehe in eine Sprachenschule und lerne Deutsch. Ich wohne bei Sofia und Lili. Das ist richtig schön.

Hallo! Mein Name ist Tim Wilson. Ich komme aus Ottawa. Ottawa ist die Hauptstadt von Kanada. Zurzeit lebe ich in München und lerne Deutsch. Das macht total Spaß! Lara kenne ich aus der Sprachenschule. Sie macht auch einen Deutschkurs dort.

Grüß Gott! Ich bin Walter Baumann. Ich bin der Vater von Sofia, und Lili ist meine Enkelin. Ich wohne auch in München, aber allein, nicht zusammen mit Sofia, Lili und Lara.

Hallo, ich heiße Sofia Baumann. Ich bin nicht verheiratet und habe eine Tochter. Sie heißt Lili. Von Montag bis Freitag habe ich leider nicht viel Zeit für Lili. Ich bin nämlich Physiotherapeutin. Ich gehe morgens schon früh in die Praxis und komme abends spät nach Hause.

Hallo, ich heiße Lili. Ich bin neun und gehe schon ganz lange zur Schule, ungefähr vier Jahre. Seit ein paar Monaten wohnt Lara bei uns. Das gefällt mir. Ich mag sie nämlich sehr gern. Nein: sehr, sehr, sehr gern! ... Ach ja, noch was: Meine Hobbys sind Essen und Lachen.

1 Lesen Sie die Texte.

Was wissen Sie über Lara, Tim und die Baumanns? Wählen Sie eine Person und notieren Sie. Stellen Sie dann Ihre Person vor.

2 Machen Sie Notizen über sich.

Stellen Sie dann Ihre Partnerin / Ihren Partner im Kurs vor.

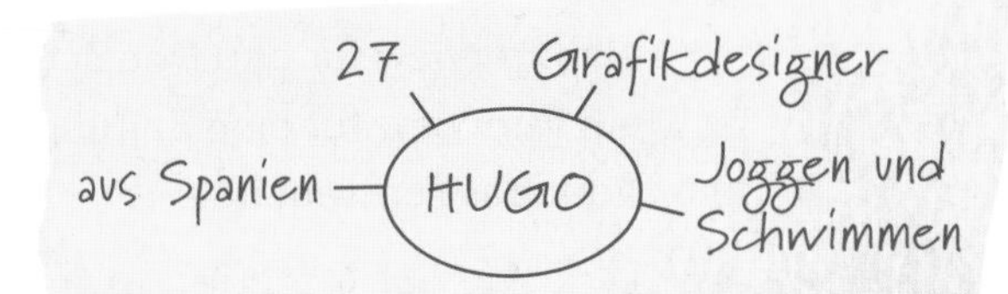

Das ist Hugo. Er ist 27 Jahre alt und kommt aus Spanien. Er ist Grafikdesigner. Seine Hobbys sind ...

Beruf und Arbeit

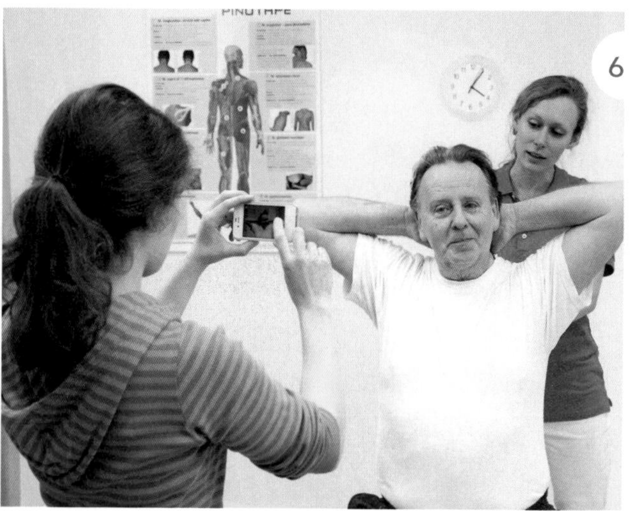

1 Sehen Sie die Fotos an. Was meinen Sie? Was ist richtig? Kreuzen Sie an.

a Wo spielt die Geschichte?
- ○ in Sofias Praxis
- ○ im Krankenhaus

b Was machen Lara und Tim?
- ○ ein Interview für den Deutschkurs
- ○ ein Interview für eine Zeitung oder das Fernsehen

c Sie sprechen mit Sofia über ...
- ○ Ausbildung und Beruf.
- ○ Familie und Beruf.

d Wer ist der Mann auf Foto 1?

- ○ Sofias Chef
- ○ Sofias Patient

e Was ist der Mann von Beruf?

- ○ Journalist
- ○ Hausmeister

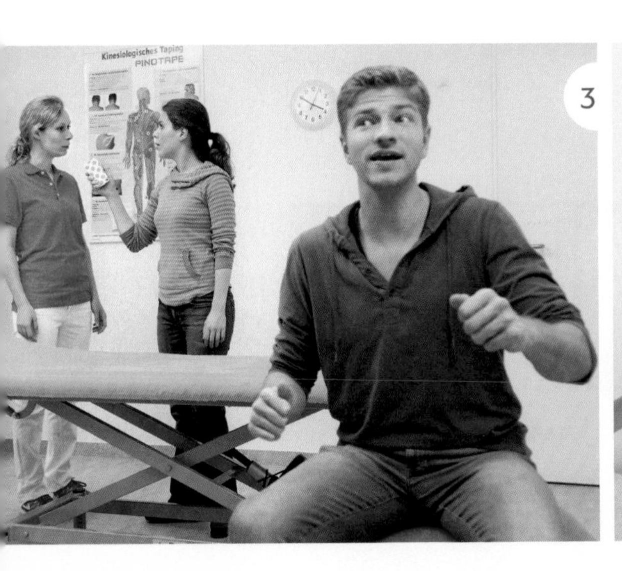

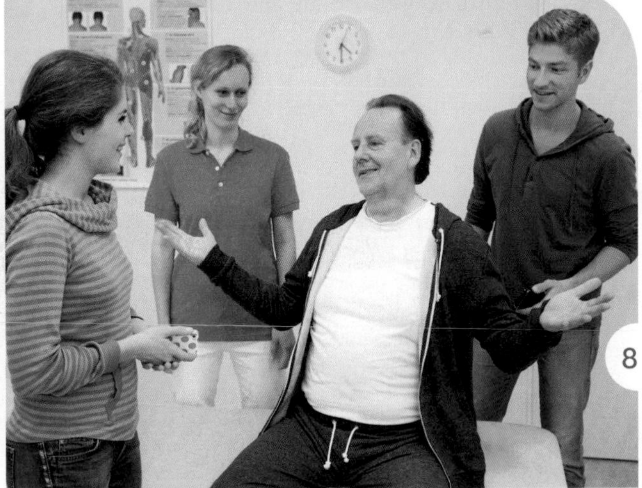

Laras Film

3 1–8 **2 Hören Sie und vergleichen Sie.**

3 1–8 **3 Hören Sie noch einmal und ordnen Sie zu.**

Physiotherapeutin | Patient | Hausmeister | Chef | Praxis | Beruf | Journalisten | ~~Deutschkurs~~ | 35

a Lara will ein Interview für den *Deutschkurs* .... machen.
Das Thema ist „Arbeit und ....".

b Herr Koch ist .... von Beruf. Er kommt auch zum Interview.

c Sofia ist .... von Beruf. Sie hat eine Ausbildung gemacht.

d Sofia hat zuerst drei Jahre in einer .... gearbeitet.

e Sofias .... war sehr gut. Aber nun hat Sofia eine eigene Praxis.

f Herr Koch ist der .... von Sofia.

g Herr Koch arbeitet seit .... Jahren als Hausmeister.

h Herr Koch denkt, Lara und Tim sind .... bei einer Zeitung.

A Ich bin **Physiotherapeutin**.

A1 Wer ist was von Beruf? Ordnen Sie zu.

Hausmeister ~~Physiotherapeutin~~ Arzthelferin

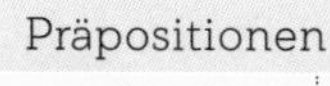

Präpositionen	
Ich arbeite	als Hausmeister.
	bei TerraMax.

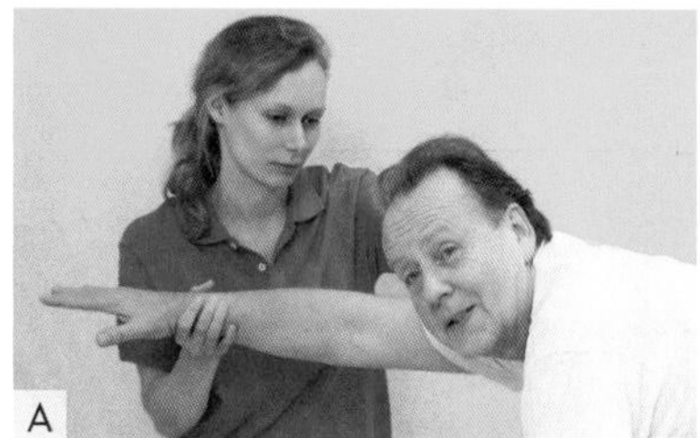

A

Ich bin Physiotherapeutin.

B

Ich bin .... von Beruf.

C

Ich arbeite als .... bei „TerraMaxImmobilien".

A2 Berufe

a Ordnen Sie zu und ergänzen Sie die Tabelle.

A

• Ärztin

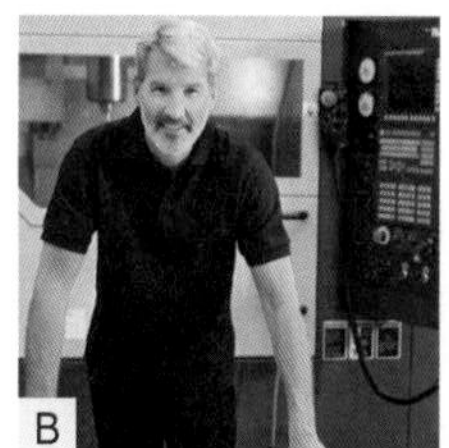

B

• Ingenieur

C

• Hausfrau

D

• Polizistin

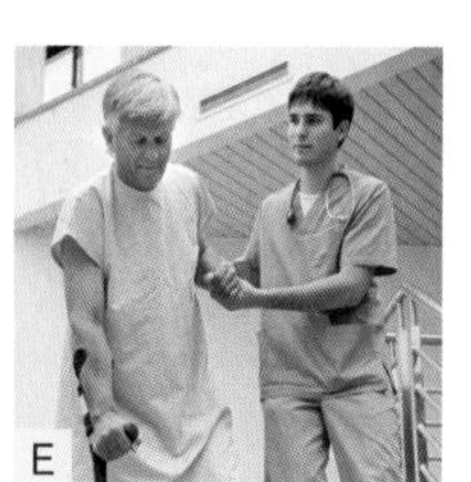

E

• Krankenpfleger

	♂	♀
◯	•	• Ingenieur**in**
◯	• Polizist	• ....
Ⓐ	• Arzt	• Ärztin
◯	• Haus**mann**	• ....
◯	•	• Kranken**schwester**

b Machen Sie mit Ihrer Partnerin / Ihrem Partner eine Liste mit noch zehn Berufen.

Lehrer – Lehrerin
...

A3 Im Kurs: Fragen Sie und antworten Sie.

Was sind Sie / bist du von Beruf?	*Ich bin ... / Ich arbeite als ... bei ...*
Was machen Sie / machst du (beruflich)?	*Ich bin Schüler(in) / Student(in).*
	Ich gehe noch zur Schule. / Ich studiere noch.
	Ich mache eine Ausbildung als ...
	Ich habe einen Job / eine Stelle als ...
	Ich bin angestellt./selbstständig.
	Ich arbeite jetzt nicht. / Ich bin nicht berufstätig.
	Ich bin zurzeit arbeitslos.

◆ Was bist du von Beruf?

○ Ich bin Studentin und ich habe einen Job als Babysitterin. Und du? Was machst du?

B Wann hast du die Ausbildung gemacht?

3 9 B1 Hören Sie und verbinden Sie.

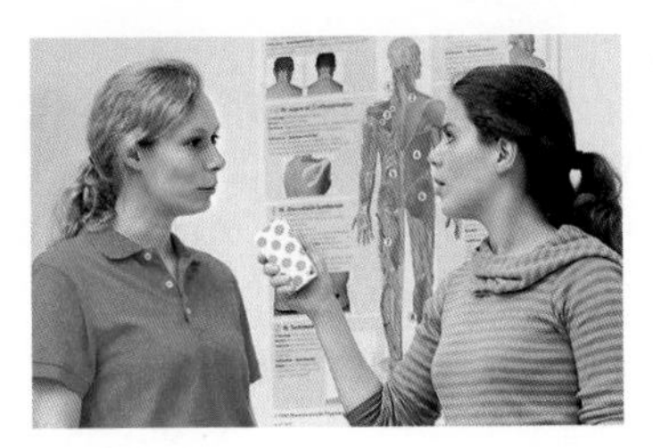

a Wann hast du die Ausbildung gemacht?
b Und wie lange hat die Ausbildung gedauert?
c Und seit wann bist du schon selbstständig?

Meine Praxis habe ich jetzt seit vier Jahren.

Vor zehn Jahren.

Drei Jahre.

3 10 B2 Interview mit Herrn Koch

Ergänzen Sie die Antworten. Hören Sie dann und vergleichen Sie.

◆ Wie lange arbeiten Sie schon als Hausmeister?
○ 38 Jahre!
◆ Wann haben Sie die Ausbildung gemacht?
○ .... 40 Jahren!
◆ Und seit wann arbeiten Sie bei „TerraMaxImmobilien"?
○ .... 35 Jahren!

Herr Koch

temporale Präpositionen
Wann haben Sie die Ausbildung gemacht?
Vor zehn Jahren. / Vor zwei Monaten. / 2012.
Wie lange hat die Ausbildung gedauert?
Drei Jahre. / Sechs Monate.
Seit wann / Wie lange bist du schon selbstständig?
Seit vier Jahren. / Seit acht Monaten. / Seit 2014.

B3 Eine Bewerbung

Frau Szabo möchte ein Praktikum bei der Firma „mediaplanet" machen. Der Abteilungsleiter Herr Winter hat noch Fragen. Lesen Sie die E-Mail von Frau Szabo und notieren Sie die Fragen.

E-Mail senden

Sehr geehrter Herr Winter,
ich möchte sehr gern in Ihrer Marketing-Abteilung ein Praktikum machen. Ich bin Ungarin und habe in Budapest Wirtschaft und Marketing studiert und gerade mein Diplom gemacht. Jetzt lebe ich in Deutschland und mache im Moment ein Praktikum bei „Inova-Marketing" in Düsseldorf. Ich habe auch schon im Büro bei „S & P Media" in Köln gearbeitet. Ich spreche sehr gut Englisch und lerne auch Deutsch.
Für weitere Informationen stehe ich Ihnen gern zur Verfügung.
Mit freundlichen Grüßen
Katalin Szabo

1 Wann?
2 Seit wann?
3 Wie lange schon?
4 Wann?
5 Seit wann?

1 Wann haben Sie das Diplom gemacht?
2 Seit wann leben Sie ...

3 11 B4 Hören Sie das Telefongespräch.

Ordnen Sie die Antworten den Fragen aus B3 zu.

○ Seit einem Monat. ① Vor einem Jahr. ○ Schon vier Jahre.
○ Das war vor zehn Monaten. ○ Seit sechs Monaten.

temporale Präpositionen + Dativ	
	einem Monat
vor	einem Jahr
seit	einer Woche
	sechs Monaten

B5 Unser Kursalbum: Machen Sie ein Album oder eine Internetseite.

a Notieren Sie Fragen für ein Interview mit Ihrer Partnerin / Ihrem Partner.

Wo ...? Was ...? Wann ...? Wie lange ...? Seit wann ...? Wie alt ...? ...

geboren leben heiraten Deutsch lernen beruflich machen eine Ausbildung machen studieren arbeiten als Hobbys Kinder ...

Wann / Wo bist du geboren?
Wo hast du gelebt?
Wie lange lernst du schon Deutsch?
Was machst du beruflich?
Hast du Kinder?
Wie alt ...?
...

b Stellen Sie Ihrer Partnerin / Ihrem Partner die Fragen.

Antonio, wann bist du eigentlich geboren?

Ich bin 1989 in Italien geboren.

Wo hast du gelebt?

Ich habe in Florenz und später in Rom gelebt.

Was machst du beruflich?

In Rom habe ich als Reiseführer gearbeitet. Ich habe Touristen die Stadt gezeigt.

Oh, interessant! Und was machst du jetzt?

Man schreibt:	Man sagt:
1989	19hundert89
2015	2tausend15

c Schreiben Sie einen Text über Ihre Partnerin / Ihren Partner wie in den Beispielen.

C Ich **hatte** ja noch keine Berufserfahrung.

3 🔊 12–13 **C1 Hören Sie und ordnen Sie zu.**

war ~~hatte~~ Hattest war

1
◆ .... du dann gleich deine eigene Praxis?
○ Nein, nein! Ich *hatte* ja noch fast keine Berufserfahrung.

2
◆ Wie .... dein Chef?
○ Er .... sehr, sehr professionell.

C2 Annas Blog: Früher und heute

a Annas Job früher und heute. Lesen Sie und ergänzen Sie die Tabelle.

Meine Jobs

Vor einem Jahr habe ich in einem Café gearbeitet. Ich hatte richtig viel Arbeit und oft Stress. Mein Chef war gar nicht nett. Mein Deutsch war schlecht. Ich habe die Kunden manchmal nicht verstanden. Ich glaube, ich war keine gute Kellnerin.
Heute arbeite ich in einem Restaurant. Ich habe nicht so viel Arbeit. Und meine Chefin ist toll! Mein Deutsch ist jetzt sehr gut. Heute bin ich eine super Kellnerin. ☺

	früher	heute
viel Arbeit?	*viel Arbeit*	
Chef/Chefin?		
Deutsch?		
gute Kellnerin?		*ja*

b Sprechen Sie.

Früher hatte Anna viel Arbeit. Heute hat sie nicht so viel Arbeit.

	sein			haben	
	Präsens	Präteritum		Präsens	Präteritum
ich	bin	war	ich	habe	hatte
du	bist	warst	du	hast	hattest
er/es/sie	ist	war	er/es/sie	hat	hatte
wir	sind	waren	wir	haben	hatten
ihr	seid	wart	ihr	habt	hattet
sie/Sie	sind	waren	sie/Sie	haben	hatten

C3 Im Kurs: Wie war Ihr erster Job? Was machen Sie heute?
Schreiben Sie einen Text. Mischen Sie die Zettel. Die anderen raten: Wer ist wer?

Ich war ...
Heute arbeite ich ...

Ich war Verkäufer(in)/Architekt(in)/Arbeiter(in)/...
Ich hatte viel/wenig Arbeit./keine Berufserfahrung./viel/keinen Spaß.
Der Job war (nicht) einfach.
Der Chef war/Die Kollegen waren (nicht) sehr nett./professionell.

D Praktikums- und Jobbörse

D1 Job gesucht!

a Lesen Sie und markieren Sie.

Was machen die Personen? Für wie lange suchen die Personen einen Job?

Ich heiße Mika Salonen und bin 25 Jahre alt. Ich komme aus Turku und arbeite seit drei Jahren als Koch in einem Restaurant. Mit 20 war ich mal für neun Monate in Österreich, in Bregenz. Dort habe ich ziemlich gut Deutsch gelernt. Jetzt möchte ich aber noch mehr Deutsch lernen und suche für ein Jahr einen Job in der Gastronomie in Österreich, in der Schweiz oder in Deutschland.

Ich bin Radha Arora, 23, und komme aus Indien. Seit drei Monaten bin ich in Deutschland. Ich studiere Informatik an der Universität in Würzburg. Mein Deutsch ist leider noch nicht sehr gut. Ich suche einen Job für die Semesterferien. Für einen Monat im Sommer. Vielleicht bekomme ich ja einen Job mit vielen Kollegen, dann kann ich arbeiten *und* Deutsch lernen.

Hallo, mein Name ist Brenda Halligan. Ich bin Amerikanerin und studiere Eventmanagement in Boston. Bald gehe ich für drei Monate nach Europa und mache einen Monat lang ein Praktikum bei einer Konzertagentur in Hamburg. Danach suche ich noch für zwei Monate ein Praktikum in Österreich oder in der Schweiz. Im Herbst fängt dann mein Studium wieder an. Im letzten Jahr hatte ich für sechs Wochen einen Job bei einem Catering-Service in Berlin.

b Lesen Sie die Anzeigen.
Welche Anzeige passt zu welcher Person? Ordnen Sie zu.

Originell Catering & Events Zürich
Branche: Gastronomie / Tourismus / Eventmanagement
Wir bieten von April bis Oktober Praktikumsstellen/Jobs für zwei Monate oder mehr. Kontakt:
wiese@originell-catering.ch
A

Hotel Kaiserhof Wien
Sie kochen gern? Sie sind kreativ und lernbereit? Wir suchen *einen Koch/ eine Köchin* und *Auszubildende als Koch/Köchin* und *Eventmanager (m/w)* für mindestens drei Monate.
Bewerbungsunterlagen bitte an:
maria.bernhart@kaiserhof.at
B

Phill GmbH, Berlin
Sie studieren Wirtschaft, Mathematik, Informatik und haben sehr gute Englischkenntnisse. Bei uns arbeiten Sie im Team und lernen Controlling-Instrumente in der Praxis kennen.
Wir bieten Praktikumsstellen für mindestens einen Monat an.
praktikum@phill.de
C

	Mika	Radha	Brenda
Anzeige			

temporale Präposition + Akkusativ		
für	einen	Monat
	ein	Jahr
	eine	Woche
	sechs	Wochen

SCHON FERTIG? Haben Sie schon mal ein Praktikum / einen Job gemacht? Schreiben Sie.

E Am Telefon: Ist die Stelle noch frei?

1 🔊 14 **E1 Bewerbung**

Lesen Sie die Stellenanzeige und hören Sie das Telefongespräch. Was ist richtig? Kreuzen Sie an.

Modehaus Letters Branche: Handel/Gewerbe

Sie haben die Schule beendet und suchen Ihren Traumjob im Bereich Mode?

WIR SUCHEN PRAKTIKANTEN!

Kontakt: ✆ 040/688 57 74; *karriere@letters.de*

jeden Montag = montags
auch so: dienstags, mittwochs, donnerstags, ...

jeden Vormittag = vormittags
auch so: morgens, mittags, abends, ...

a Das Praktikum dauert mindestens ○ zwei Monate. ☒ zwei Wochen.
b Die Praktikanten arbeiten ○ montags bis freitags von 8 bis 16 Uhr. ○ auch am Wochenende.
c Die Firma will eine Bewerbung ○ nur per Telefon. ○ schriftlich.

E2 Sie haben noch Fragen zu einer Praktikumsstelle. Spielen Sie Gespräche.

Firma: Flughafen Frankfurt
Gesucht: Praktikant (m/w) im Bereich Logistik
Praktikumsdauer: 2-4 Monate im Herbst/Winter
Arbeitszeit: Mo-Fr 8-17 Uhr
Vergütung: 500 Euro pro Monat
E-Mail: info@frankfurter-flughafen.de

Firma: Online-Spiel-Studios
Gesucht: Praktikant (m/w) als Spieletester
Praktikumsdauer: 3-4 Monate im Sommer
Arbeitszeit: Mo-Fr 9-18 Uhr
Vergütung: 450 Euro pro Monat
Kontakt: warmer@spielestudios.de

◆ Guten Tag.

○ Guten Tag, mein Name ist ...
Ich habe Ihre Anzeige gelesen.
Sie suchen eine Praktikantin / einen Praktikanten im Bereich ... / als ... Ist die Stelle noch frei?

◆ Ja.

○ Und wie lange dauert das Praktikum?

◆ Wir suchen Praktikanten für ... Monate / im Frühling/...

○ Aha, und wie ist die Arbeitszeit?

◆ Praktikanten arbeiten bei uns normalerweise ...

○ Bekomme ich für das Praktikum auch Geld?

◆ Ja, wir zahlen ... pro Monat./Stunde.

○ Ah ja, super. Ich möchte sehr gern ein Praktikum bei Ihnen machen. Geht das ab ...? / für ... Monate?

◆ Ja, schicken Sie Ihre Bewerbung bitte per E-Mail.

○ Vielen Dank. Auf Wiedersehen.

Grammatik

1 Nomen: Wortbildung ÜG 11.01

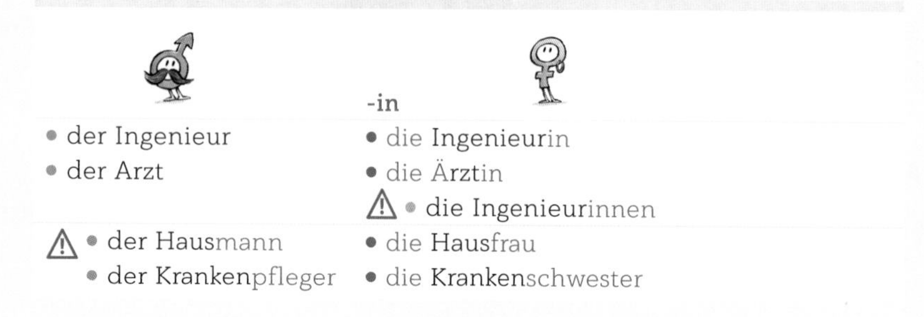

♂	-in ♀
• der Ingenieur	• die Ingenieurin
• der Arzt	• die Ärztin
	⚠ • die Ingenieurinnen
⚠ • der Hausmann	• die Hausfrau
• der Krankenpfleger	• die Krankenschwester

Ergänzen Sie.

Er ist .... von Beruf.
Sie ist .... von Beruf.

2 Lokale Präposition: *bei*, modale Präposition: *als* ÜG 6.03

Wo arbeiten Sie?	
Ich arbeite	als Hausmeister.
	bei TerraMax.

Und Sie? Was sind Sie von Beruf? Wo arbeiten Sie? Schreiben Sie.

Ich ...

3 Temporale Präpositionen: *vor, seit* + Dativ ÜG 6.01

		Singular			Plural	
Wann?						
Ich habe	vor	• einem Monat	• einem Jahr	• einer Woche	• zwei Monaten	die Ausbildung gemacht.
Seit wann? / Wie lange?						
Ich bin	seit	• einem Monat	• einem Jahr	• einer Woche	• zwei Jahren	selbstständig.

4 Temporale Präposition: *für* + Akkusativ ÜG 6.01

	Singular			Plural	
Für wie lange?					
Ich suche für	• einen Monat	• ein Jahr	• eine Woche	• zwei Wochen	einen Job.

Schreiben Sie fünf Sätze.

Sie haben fünf Wünsche frei! Wo oder wer möchten Sie für einen Tag, eine Woche oder ein Jahr sein?

Ich möchte gern für ein Jahr in Italien am Meer sein.

5 Präteritum: *sein* und *haben* ÜG 5.06

	sein		haben	
	Präsens	Präteritum	Präsens	Präteritum
ich	bin	war	habe	hatte
du	bist	warst	hast	hattest
er/es/sie	ist	war	hat	hatte
wir	sind	waren	haben	hatten
ihr	seid	wart	habt	hattet
sie/Sie	sind	waren	haben	hatten

Früher und heute. Schreiben Sie drei Sätze über sich.

Früher war/hatte ich ...
Heute bin/habe ich ...

Kommunikation

ÜBER DEN BERUF SPRECHEN: Was sind Sie von Beruf?

Was sind Sie / bist du von Beruf?
Was machen Sie / machst du (beruflich)?
Ich bin ... / Ich arbeite als ... bei ... | Ich bin Schüler(in) / Student(in). Ich gehe noch zur Schule. | Ich studiere noch. | Ich mache eine Ausbildung als ... | Ich habe einen Job / eine Stelle als ... | Ich bin angestellt./selbstständig. | Ich arbeite jetzt nicht. | Ich bin nicht berufstätig. | Ich bin zurzeit arbeitslos.

Schreiben Sie über die Berufe von drei Freundinnen / Freunden.

Meine Freundin Tina ist Polizistin, aber sie arbeitet jetzt nicht. Sie hat ein Kind.
Mein Freund ...

ÜBER PRIVATES SPRECHEN: Wann bist du geboren?

Wann bist du geboren?	*19../20..*
Wo bist du geboren?	*In ...*
Wo hast du gelebt / gewohnt?	*In ... und in ...*
Seit wann / Wie lange lernst du schon Deutsch?	*Seit zwei Jahren. / Zwei Jahre.*
Wann hast du deine Ausbildung / dein Diplom / ... gemacht?	*Vor einem Jahr ... / Vor sechs Monaten. / 19../20..*

Ihr Leben. Schreiben Sie.

Ich bin 1988 in Madrid geboren und habe auch 20 Jahre dort gelebt. Vor ...

ÜBER BERUFSERFAHRUNGEN SPRECHEN: Ich hatte viel Arbeit.

Ich war Verkäufer(in). / Architekt(in). / Arbeiter(in). / ...
Ich hatte viel/wenig Arbeit. / keine Berufserfahrung. / viel/keinen Spaß.
Der Job war (nicht) einfach. | Der Chef war (nicht) professionell. Die Kollegen waren (nicht) sehr nett.

AM TELEFON NACH EINER STELLE FRAGEN: Ist die Stelle noch frei?

Guten Tag, mein Name ist ... | Ich habe Ihre Anzeige gelesen. Sie suchen eine Praktikantin / einen Praktikanten im Bereich ... / als ... Ist die Stelle noch frei? | Wie lange dauert das Praktikum? | Wie ist die Arbeitszeit? | Bekomme ich für das Praktikum auch Geld?
Praktikanten arbeiten bei uns normalerweise ... | Wir zahlen ... pro Monat. / Stunde. | Schicken Sie Ihre Bewerbung bitte per E-Mail an ... Ah ja, super. Ich möchte sehr gern ein Praktikum bei Ihnen machen. Geht das ab ...? / für ... Monate?

Sie möchten noch mehr üben?

3 | 15–17 AUDIO-TRAINING

VIDEO-TRAINING

Lernziele

Ich kann jetzt ...

A ... sagen: Das ist mein Beruf: *Ich bin Physiotherapeutin.* ☺ 😐 ☹
B ... über Privates / mein Leben / meinen Beruf sprechen: *In Rom habe ich als Reiseführer gearbeitet.* ☺ 😐 ☹
C ... über früher sprechen: *Ich hatte viel Arbeit.* ☺ 😐 ☹
D ... Stellenanzeigen und Texte zum Thema „Praktikum" verstehen: *Wir bieten Praktikumsstellen/Jobs ...* ☺ 😐 ☹
E ... am Telefon nach einer Stelle fragen: *Ist die Stelle noch frei?* ☺ 😐 ☹

Ich kenne jetzt ...

8 Berufe:
der Arzt, ...

5 Wörter zum Thema *Arbeit und Beruf*:
das Praktikum, ...

FILM

Heidis Lieblingsladen

1 Kenans Arbeitstag. Sehen Sie den Film an und ordnen Sie.

A

B

C

Das ist Kenan Cinar. Er hat einen Obst- und Gemüseladen. Wie ist sein Arbeitstag?

○ Laden öffnen ○ Laden schließen ○ Kunden kommen
○ zu seinem Laden fahren und alles vorbereiten ② in die Großmarkthalle fahren
○ Obst und Gemüse kaufen ① früh aufstehen ○ aufräumen und sauber machen

2 Wie ist Ihr Arbeitstag/Alltag? Machen Sie Fotos und erzählen Sie.

PROJEKT

Mein Praktikum

Ich möchte für zwei bis drei Monate ein Praktikum in der IT-Branche machen. Sehr gern in Österreich.

Pablo

Ich suche für drei Monate ein Praktikum in Hamburg. Medien und Journalismus finde ich besonders interessant.

Kim

1 Lesen Sie und ergänzen Sie.

Name?	Was?	Für wie lange?	Wo?
Pablo	Praktikum Medien/ Journalismus		
Kim			

2 Sie möchten auch ein Praktikum machen.

a Machen Sie eine Tabelle wie in 1 für sich. Tauschen Sie dann Ihre Notizen mit Ihrer Partnerin / Ihrem Partner.

b Suchen Sie im Internet einen Praktikumsplatz für Ihre Partnerin / Ihren Partner.

c Stellen Sie Ihre Ergebnisse im Kurs vor.

Ich habe eine Stelle für Anna gefunden. Sie möchte im Bereich „Personal“ ein Praktikum machen. Hier ist eine Anzeige ...

LESEN

Ein ungewöhnlicher Beruf: SENNERIN

1 Lesen Sie den Text und sammeln Sie weitere Wörter zum Thema „Alm“.

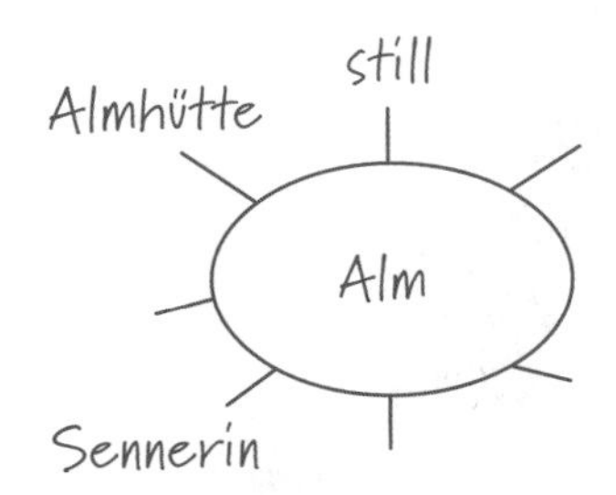

STILL

„Still“, so heißt ein Dokumentarfilm von Regisseur Matti Bauer. „Still“ bedeutet: ruhig, nicht laut. In den Bergen in Südbayern ist es sehr still. Dort hat Uschi einige Sommer lang als **Sennerin** gearbeitet. Mit 5 dreißig **Kühen und Kälbern** ist die junge Frau auf die **Alm** gegangen. Sie war jedes Mal für vier Monate dort oben, weit weg von allen anderen Menschen. In den vier Monaten hat sie in der **Almhütte** gelebt. Aus der **Kuhmilch** hat Uschi Butter und Käse 10 gemacht. Das Leben auf der Alm war sehr einfach. Und genau das hat ihr so gut gefallen: Dort oben hatte sie ihre Ruhe. Uschi mag aber nicht nur die Stille. Sie hat schon viele Reisen gemacht. Sie hat die Welt gesehen, war in Nord- und Südamerika, in 15 Thailand und in Neuseeland.

Uschis Eltern sind Bergbauern. Ihr Bauernhof ist nicht sehr groß. Sie sind nicht mehr jung und sie haben nur eine Tochter. Aber will Uschi denn Bäuerin werden? Will sie wirklich so leben wie ihre 20 Eltern? Sie hat lange nachgedacht, dann hatte sie eine Antwort: Ja, sie will auch Bäuerin sein. Aber nicht so wie ihre Eltern. Sie hat eine Prüfung gemacht und ist jetzt Landwirtschaftsmeisterin. Jetzt hat sie den Bauernhof und ist Bäuerin. Ihr 25 Partner hilft mit. Aber er ist kein Bauer. Er ist Pilot bei einer Charter-Fluglinie.

Was ist in zwei, drei, fünf oder zehn Jahren? Wie lange geht das gut? Wir wissen es nicht. Wir wissen nur: Regisseur Matti Bauer hat Uschi zehn Jahre 30 lang immer wieder besucht und gefilmt. Das Ergebnis: der Dokumentarfilm „Still“. Einfach super!

2 Was ist richtig? Lesen Sie den Text noch einmal und kreuzen Sie an.

- a Uschi hat einen Sommer als Sennerin gearbeitet. ○
- b Es waren auch andere Menschen auf der Alm. ○
- c Uschi findet das Leben auf der Alm gut. ○
- d Uschi reist gern. ○
- e Uschi will nicht mehr auf dem Bauernhof arbeiten. ○
- f Uschis Mann ist Bauer. ○

Ich finde das toll. Die Berge gefallen mir.

Man ist ganz allein. Das ist doch langweilig.

3 Wie finden Sie den Beruf „Sennerin/Senner“? Sprechen Sie.

Unterwegs

1 Haben Sie einen Führerschein? Haben Sie ein Auto? Erzählen Sie.

Ich habe seit fünf Jahren einen Führerschein.

Ich brauche kein Auto und ich kann nicht Auto fahren.

2 Sehen Sie die Fotos an. Wo sind Lara und Tim wann? Ordnen Sie die Sätze.

◯ Sie sind am Zentralen Omnibusbahnhof. Sie wollen ein Busticket kaufen.

① Sie sind auf einem Amt. Sie wollen wissen: Ist der Führerschein gültig?

◯ Sie sind bei einer Autovermietung. Sie wollen ein Auto mieten.

3 ◀)) 18–25

3 Hören Sie und vergleichen Sie.

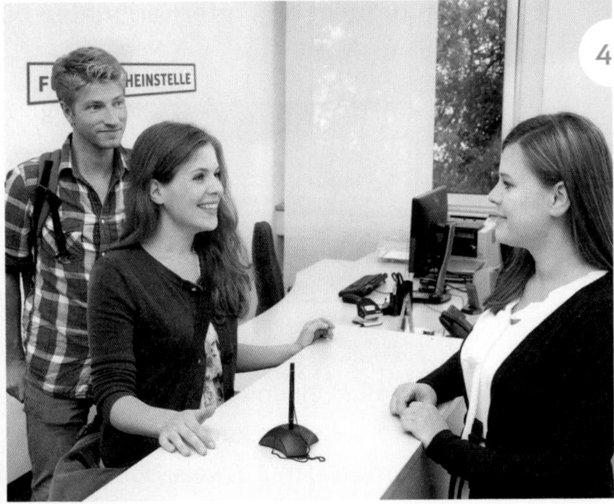

Laras und Tims Film

3 18–25 **4 Hören Sie noch einmal und korrigieren Sie.**

a Tim möchte ein Auto mieten und nach ~~Polen~~ fahren. Salzburg
b Aber mit einem ausländischen Führerschein kann man nur acht Monate in Deutschland fahren. ______
c Tim hat einen internationalen Führerschein. ______
d Lara kommt aus der EU. Sie braucht einen internationalen Führerschein. ______
e Lara möchte ein Auto kaufen. ______
f Aber sie bekommt kein Auto. Sie ist zu jung, sie ist erst 21 Jahre alt. ______
g Sie können den Bus nehmen. Sie kaufen Fahrkarten [ticket] im ZOB. Die Fahrt dauert nur neun Stunden. ______

EU = ● die Europäische Union

A Sie **müssen** einen Antrag **ausfüllen**.

A1 Tim braucht den internationalen Führerschein.

Ordnen Sie zu.

A
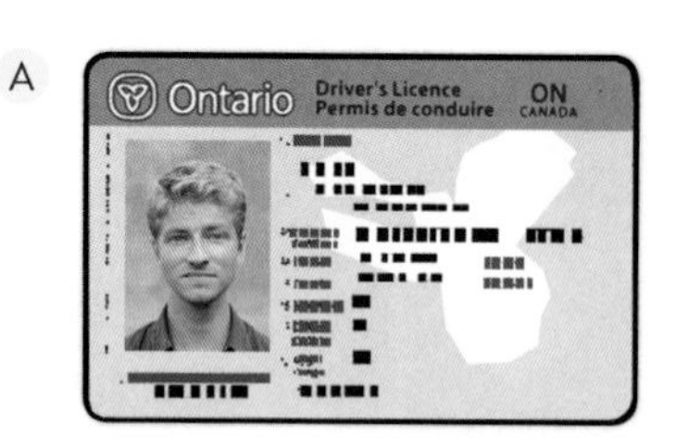

B
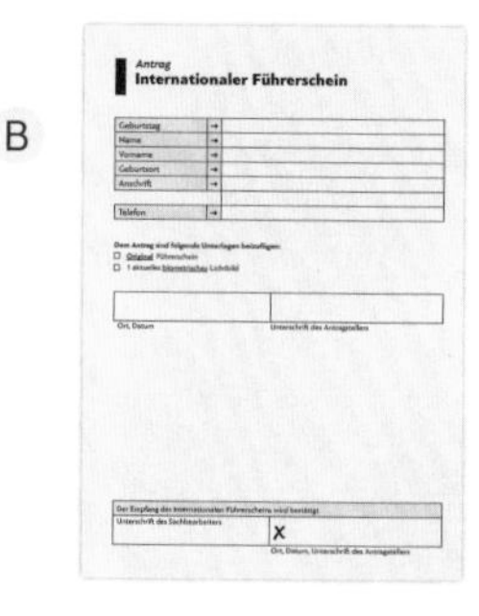

C

- ◯ Er muss einen Antrag ausfüllen.
- ◯ Er muss einen kanadischen Führerschein haben.
- ◯ Er muss den Ausweis, den Führerschein und ein Foto mitbringen.

Modalverb *müssen*	
ich	muss
du	musst
er/es/sie	muss
wir	müssen
ihr	müsst
sie/Sie	müssen

A2 Ein Auto mieten

Ihre Partnerin / Ihr Partner möchte in Deutschland ein Auto mieten. Was muss sie/er machen? Sprechen Sie. Tauschen Sie dann die Rollen.

Er muss einen Antrag ausfüllen .

- einen internationalen oder einen EU-Führerschein haben
- mindestens 21 Jahre alt sein
- einen Personalausweis oder einen Reisepass mitbringen
- eine Kreditkarte haben

◆ Ich möchte ein Auto mieten. Wie geht das?
○ Also, du musst ...

3 26 A3 Eine Fahrkarte kaufen

a Was ist richtig? Hören Sie und kreuzen Sie an.

1 Der Mann versteht ○ nicht gut Deutsch. ○ den Automaten nicht.
2 Der Fahrkartenautomat ○ funktioniert. ○ funktioniert nicht.
3 Der Mann bekommt ○ eine ○ keine Fahrkarte.

b Hören Sie noch einmal und ordnen Sie.

- ◯ bezahlen
- ◯ Erwachsener/Kind auswählen
- ① das Ziel wählen
- ◯ die Fahrkarte und das Wechselgeld nehmen
- ◯ die Fahrkarte stempeln

ich, du, er ...	= spezielle Person
man	= alle / jede Person
⚠ man	≠ Mann

c Sprechen Sie.

Zuerst muss man ... *Danach ... und dann ...* *Dann ... Zum Schluss ...*

A4 Was müssen Sie heute noch machen? Erzählen Sie.

Ich muss heute noch einkaufen und die Wohnung aufräumen ...

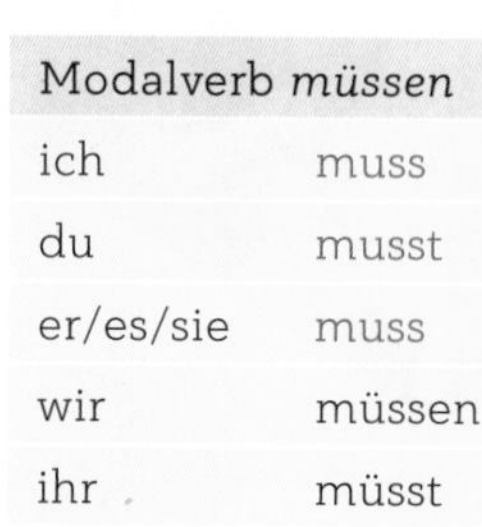

B Sieh mal!

B1 Komm mit!

3 ◀)) 27 **a** Hören Sie und ordnen Sie zu.

Bring | Geh | ~~sieh~~ | komm | warte

◆ Du, *sieh* mal! Da vorne ist eine Autovermietung.
Da gehen wir jetzt hin und fragen. Na los, ... mit!
○ Ja, gleich. .... du schon! Ich will noch schnell in den Laden da. Ich habe so einen Hunger.
◆ Okay. Tim, ... mal! .... ein Wasser für mich mit!

Imperativ		
du siehst	→	Sieh mal!
du kommst mit	→	Komm mit!

b Was soll Tim alles machen? Was sagt Lara? Schreiben Sie.

zu Walter fahren und Lili abholen
die Hausaufgaben machen
einen Kaffee mitbringen | leise sein
Lili die Matheübung erklären
eine E-Mail an die Lehrerin schreiben

Fahr zu Walter und ...

Imperativ		
⚠ du bist ...	→	Sei leise!
du fährst	→	Fahr!

B2 In der Klasse

3 ◀)) 28 **a** Was sagt der Lehrer? Hören Sie und kreuzen Sie an.

○ Seid bitte nicht so laut! ○ Macht doch die Handys aus!
○ Schließt bitte die Bücher! ○ Öffnet bitte die Bücher!
○ Hört doch bitte zu! ○ Lest bitte den Text!
○ Steht bitte nicht auf!

Hört zu!
Hört bitte zu!
Hört doch (bitte) zu!

Imperativ		
ihr hört zu	→	Hört zu!
⚠ ihr seid ...	→	Seid nicht so laut!

b Was sollen die anderen in Ihrem Kurs tun?
Schreiben Sie mit Ihre r Partnerin / Ihrem Partner drei Sätze.

Kommt doch bitte pünktlich!

B3 In der Sprachenschule

Was muss man machen? Lesen Sie und ergänzen Sie die Tabelle.

Anmeldung zum Sprachunterricht
Warten Sie bitte im Wartebereich. Bringen Sie bitte Ihren Pass zur Anmeldung mit. Bezahlen Sie die Kursgebühren an der Kasse im 1. Stock. Seien Sie bitte leise. Die anderen haben Unterricht.

Imperativ		
Sie warten	→	*Warten Sie!*
Sie bringen ... mit	→	.... !
Sie bezahlen	→	.... !
⚠ Sie sind leise	→	.... bitte leise!

B4 Regeln einmal anders

Schreiben Sie mit Ihrer Partnerin / Ihrem Partner drei Regeln für die Kursleiterin / den Kursleiter.

Geben Sie keine Hausaufgaben!
Lachen Sie viel!

C Sie **dürfen** in der EU Auto **fahren**.

3 🔊 29 **C1 Was ist richtig? Hören Sie und kreuzen Sie an.**

a ○ Tim ○ Lara darf im Moment nicht in Deutschland Auto fahren.
○ Er ○ Sie hat keinen internationalen Führerschein.
b ○ Tim ○ Lara muss einen internationalen Führerschein beantragen.
c ○ Tim ○ Lara darf in der EU Auto fahren.

Sie dürfen in der EU Auto fahren.

Modalverb *dürfen*	
ich	darf
du	darfst
er/es/sie/man	darf
wir	dürfen
ihr	dürft
sie/Sie	dürfen

C2 Spielen Sie Gespräche mit Ihrer Partnerin / Ihrem Partner.

A

du – das Handy ausmachen – nicht telefonieren

B

ihr – die Zigaretten – ausmachen – nicht rauchen

C

du – langsam fahren – nur 30 fahren

D

wir – einen neuen Parkplatz suchen – nicht parken

◆ Achtung! Du musst das Handy ausmachen.
○ Warum denn?
◆ Hier darf man nicht telefonieren.

C3 Eine Fernbus-Reise: Was ist erlaubt? Was ist verboten? Was meinen Sie?
Notieren Sie „Ihre" Regeln und sprechen Sie mit Ihrer Partnerin / Ihrem Partner.

Fahrrad mitnehmen | Eis essen | Gepäck abgeben | Musik hören | Fahrkarte kaufen | rauchen | Laptop benutzen | schlafen | ...

Unsere Regeln

man darf:	man darf nicht:	man muss:
Fahrrad mitnehmen	Eis essen	Gepäck abgeben

◆ Man muss das Gepäck abgeben.
○ Ja. Und man darf im Bus kein Eis essen. Das ist verboten.
◆ Aber man darf sein Fahrrad mitnehmen.

D Informationsbroschüre

D1 Lesen Sie die Informationsbroschüre.

Worüber bekommen Sie Informationen? Kreuzen Sie an.

○ Sehenswürdigkeiten ○ Hotels ○ Öffnungszeiten
○ Preise ○ Führungen ○ Konzertprogramm

SALZBURG IN 100 MINUTEN

Sie sind nur für wenige Stunden in Salzburg? Besichtigen Sie die „Mozartstadt" in nur 100 Minuten. Auf dem Stadtrundgang lernen Sie die wichtigsten Sehenswürdigkeiten kennen.

Beginnen Sie den Rundgang an der Getreidegasse. Sie ist **die** Einkaufsstraße in Salzburg – hier gibt es einfach alles. In der Getreidegasse 9 ist der berühmte Komponist Wolfgang Amadeus Mozart geboren.

Mehr Zeit? Besuchen Sie das Museum in Mozarts Geburtshaus. Öffnungszeiten: täglich 9.00–17.30 Uhr, Preis: 10,00 Euro für Erwachsene, 3,50 Euro für Kinder, 50 % Ermäßigung für Gruppen, Studenten und Senioren

MOZARTSTADT SALZBURG
- ca. 148.000 Einwohner
- Festspielstadt (Salzburger Festspiele)
- Informationen, Stadtpläne, Hotelauskunft, Tickets und vieles mehr gibt es bei der Tourist-Info Salzburg

Spazieren Sie weiter zur Hofstallgasse. Dort sehen Sie drei Spielorte für die Salzburger Festspiele: das Haus für Mozart, die Felsenreitschule und das Große Festspielhaus. Das ganze Jahr finden hier Konzerte und Opernaufführungen statt.

Mehr Zeit? Besichtigen Sie die Festspielhäuser bei einer Führung: täglich um 14.00 Uhr, Dauer: 50 Minuten, Sprachen: Deutsch und Englisch

Nun kommen Sie zum Dom. Dort findet jedes Jahr die Aufführung des „Jedermann" statt. Vom Dom sind es nur ein paar Schritte zum Residenzplatz. Dort gibt es viele schöne Gebäude, zum Beispiel die Neue Residenz mit dem Glockenspiel.

Tipp: Täglich um 7.00, 11.00 und 18.00 Uhr spielt das Glockenspiel Melodien von Haydn und Mozart.

D2 Als Tourist in Salzburg

a Lesen Sie noch einmal und beantworten Sie die Fragen.

1 Was kann man in der Getreidegasse machen?
2 Wie lange ist das Museum in Mozarts Geburtshaus geöffnet?
3 Wie viel kostet der Eintritt für Erwachsene?
4 Wann kann man die Festspielhäuser besichtigen?
5 Wie lange dauert die Führung?
6 Wie oft spielt das Glockenspiel in der Neuen Residenz?
7 Wo gibt es Stadtpläne?

1 einkaufen, Mozarts Geburtshaus besuchen

Wie lange ...?
Eine Stunde.
45 Minuten.
Von ... bis ...

b Sprechen Sie mit Ihrer Partnerin / Ihrem Partner.

◆ Entschuldigung. Ich brauche eine Auskunft. Darf ich Sie etwas fragen? Was kann man in der Getreidegasse machen?
○ Man kann dort einkaufen und Mozarts Geburtshaus besuchen.

SCHON FERTIG? Schreiben Sie noch zwei Fragen für Ihre Partnerin / Ihren Partner.

E Ein Zimmer buchen

E1 Was passt? Sehen Sie die Hotel-Angebote an und kreuzen Sie an.

	Backpacker Hostel	*Easy Tourist Hotel*	*Hotel Romantica*
liegt im Zentrum	○	☒	☒
Frühstück inklusive	○	○	○
Internet kostenlos	○	○	○
Klimaanlage ❄	○	○	○
Balkon	○	○	○
Restaurant	○	○	○
Schwimmbad	○	○	○

www.hotelbuchen.de

ERGEBNISSE Ihre Suche: Schweiz -> Luzern

Backpacker Hostel ★★ — **Gut 7,2** *Ergebnis von 1847 Bewertungen*

DZ 89,00 CHF (72,82 EUR)
Lage: in 30 Minuten zur Altstadt und zum See; Bushaltestelle 2 Minuten
Zimmer: Dusche, WC, TV
Frühstück extra, Restaurant, Bar (bis 24 Uhr geöffnet)
Supermarkt neben dem Haus, Parkplätze kostenlos

Easy Tourist Hotel ★★★ — **Sehr gut 8,5** *Ergebnis von 871 Bewertungen*

DZ mit Frühstück 109,00 CHF (89,02 EUR)
Lage: zentral gelegen in der Altstadt
Zimmer: Dusche, WC, Föhn, TV, Klimaanlage, kostenloses WLAN, Balkon mit Berg- oder Seeblick
Hunde erlaubt

Hotel Romantica ★★★★ — **Exzellent 9,2** *Ergebnis von 256 Bewertungen*

DZ mit Frühstück 185,00 CHF (151,37 EUR)
Lage: zentral, Nähe Kongresszentrum
Zimmer: Dusche, WC, Föhn, TV, Klimaanlage, kostenloses WLAN, Zimmersafe, Restaurant mit Terrasse
historisches Flair, Schwimmbad, Massage

E2 Das Hotel liegt im Zentrum.

3 ◀)) 30 **a** Was ist für Anna und Moritz wichtig? Hören Sie und kreuzen Sie an.

○ Klimaanlage ○ günstiger Preis ○ Lage im Zentrum ○ Bushaltestelle
○ kostenloses Internet ○ Schwimmbad ○ Haustiere erlaubt ○ Balkon

3 🔊 31 **b** Hören Sie weiter und ergänzen Sie das Formular.

Easy Tourist Hotel ★★★ **Anreise** Fr 07.03. **Abreise** So 09.03. IHRE BUCHUNGSBESTÄTIGUNG

Sie buchen: (1) Doppelzimmer ◯ Einzelzimmer

Gast 1 *Vorname:* Moritz *Familienname:* Burger
Gast 2 *Vorname:* Anna *Familienname:* Hinze-Burger

Adresse:
Königstraße 100, 10115 Berlin
E-Mail-Adresse: m_a_burger@online.com | Telefon: ______

Wünsche an das Hotel: ◯ Nichtraucherzimmer ◯ Seeblick ◯ Bergblick ◯ Parkplatz
Ankunftszeit (ca.): ______ Weitere Informationen für das Hotel: ______

E3 An der Hotelrezeption

3 🔊 32 **a** Ordnen Sie zu. Hören Sie dann und vergleichen Sie.

Wann müssen wir am Sonntag auschecken? | Da müssen Sie noch kurz warten. | Können Sie das bitte wiederholen? | Möchten Sie Vollpension oder Halbpension? | ~~Kann ich Ihnen helfen?~~ | Wir haben ein Doppelzimmer reserviert. | Hier, unsere Ausweise.

- ◆ Grüezi mitenand. Kann ich Ihnen helfen?
- ○ Guten Tag. Mein Name ist Burger. ______
- ◆ Burger ... Ah ja, Burger, Moritz und Anna. Das Zimmer ist leider noch nicht ganz fertig. ______ Möchten Sie so lange ein Kafi Melange trinken?
- ▲ Wie bitte? ______
- ◆ Ein Kafi Melange. Das ist ein Kaffee mit Rahm, äh, mit Sahne.
- ▲ Ach so. Ja, gern.
- ◆ Fein. ... Ich brauche Ihre Ausweise und Sie müssen bitte das Formular ausfüllen. ______?
- ○ Nur Frühstück, bitte. Wir sind den ganzen Tag unterwegs.
- ▲ ______
- ◆ Ah, danke. Gut. Hier ist Ihr Schlüssel, Zimmer Nummer 234. Der Lift ist dort.
- ○ Vielen Dank.
- ▲ Eine Frage noch, bitte: ______
- ◆ Um 11 Uhr.

ich	helfe
du	hilfst
er/es/sie	hilft

b Spielen Sie zu zweit ein Gespräch wie in a. Tauschen Sie auch die Rollen.

SCHON FERTIG? Schreiben und spielen Sie noch eine Szene.

Partner A
• Einzelzimmer reserviert
• Halbpension
• Frage: von wann bis wann Frühstück?

Partner B
• Zimmer noch nicht fertig → Cappuccino?
• Halbpension? Vollpension?
• Frühstück: 8–10 Uhr

Grammatik

1 Modalverben: *müssen* und *dürfen* ÜG 5.11

	müssen	dürfen
ich	**muss**	**darf**
du	musst	darfst
er/es/sie/man	**muss**	**darf**
wir	müssen	dürfen
ihr	müsst	dürft
sie/Sie	müssen	dürfen

Hier darf man nicht essen.

Hier darf man rauchen.

Hier muss man leise sein.

2 Modalverben im Satz ÜG 10.02

	Position 2		Ende
Er	muss	einen Antrag	ausfüllen.
Sie	dürfen	in der EU Auto	fahren.

Zu Hause: Wer muss was machen? Wer darf was?
Schreiben Sie vier Sätze.

Meine Schwester muss immer das Bad putzen.
…

3 Pronomen: *man* ÜG 3.01

Zuerst muss man das Ziel wählen.
= Zuerst müssen alle das Ziel wählen.

4 Imperativ ÜG 5.19

		⚠	⚠
(du)	Komm mit! Sieh mal!	Fahr langsam!	Sei leise!
(ihr)	Hört zu!		Seid leise!
(Sie)	Warten Sie bitte!		Seien Sie leise!

Merke:
☹ So ist es nicht sehr freundlich:
Komm!

☺ So ist es freundlich:
Komm bitte!
Komm doch bitte!

5 Verb: Konjugation ÜG 5.01

	helfen
ich	helfe
du	hilfst
er/es/sie	hilft
wir	helfen
ihr	helft
sie/Sie	helfen

~~du~~ sieh~~st~~ ⇒ Sieh!
~~ihr~~ seht ⇒ Seht!

⚠ du schläfst ⇒ Schlaf!

Sehen Sie!

Kommunikation

NACHFRAGEN: Wie bitte?

Wie bitte?
Können Sie das bitte wiederholen?
Ich brauche eine Auskunft.
Darf ich Sie etwas fragen?

IM HOTEL EINCHECKEN: Ich habe ein Einzelzimmer reserviert.

Kann ich Ihnen helfen?	*Ich habe ein Einzelzimmer/ Doppelzimmer reserviert.*
Das Zimmer ist leider noch nicht ganz fertig. Da müssen Sie noch kurz warten.	
Möchten Sie Vollpension oder Halbpension?	*Nur Frühstück, bitte.*
Ich brauche Ihren Ausweis und Sie müssen bitte das Formular ausfüllen.	*Hier, unsere Ausweise.*
Hier ist Ihr Schlüssel. Der Lift ist dort.	*Wann muss ich auschecken? Um 11 Uhr.*

EINE AUSSAGE GLIEDERN: Zuerst ...

Zuerst muss man ...
Danach ... und dann ...
Dann ...
Zum Schluss ...

Hier ist Ihr Schlüssel.

Was haben Sie heute im Deutschkurs gemacht? Schreiben Sie.

Zuerst ...
Dann ...
Danach ...
Zum Schluss ...

Sie möchten noch mehr üben?

3 | 33–35 AUDIO-TRAINING

Lernziele

Ich kann jetzt ...

A ... sagen: Das muss ich machen: *Ich muss den Antrag ausfüllen.* ☺ 😐 ☹
B ... Aufforderungen verstehen und Anweisungen geben: *Bring bitte ein Wasser für mich mit.* ☺ 😐 ☹
C ... sagen: Das ist erlaubt und verboten: *Sie dürfen in der EU Auto fahren.* ☺ 😐 ☹
D ... eine Informationsbroschüre verstehen ☺ 😐 ☹
E ... ein Zimmer buchen: *Wir haben ein Doppelzimmer reserviert.* ☺ 😐 ☹

Ich kenne jetzt ...

5 Wörter zum Thema *Sehenswürdigkeiten*:
die Führung, ...

5 Wörter zum Thema *Hotel und Reisen*:
das Einzelzimmer, ...

COMIC

Der kleine Mann: Lachen Sie!

Geben Sie Ihrer Partnerin / Ihrem Partner drei Anweisungen. Sie/Er führt die Anweisungen aus. Tauschen Sie dann die Rollen.

• ein Wort schreiben • ein Lied singen aufstehen pfeifen • ein Bild malen ...

SCHREIBEN

Eine E-Mail aus ...

E-Mail senden

Hallo Paula,
ich bin gut wieder in Bukarest angekommen. Ich wohne ganz in der Nähe von dem Gebäude auf dem Foto. Du musst mich bald besuchen. Das Essen bei uns ist so lecker! Und wir können viel machen, zum Beispiel tanzen gehen.
Bis bald! Dorina

Schreiben Sie aus dem Urlaub / aus Ihrem Heimatland eine E-Mail an eine Freundin / einen Freund.
- Wo sind Sie? Was gefällt Ihnen?
- Was kann man dort machen?

Ich bin jetzt in ... | ... ist sehr schön/interessant.
Hier gibt es ... (Museen, Parks, Restaurants, ...)
Hier können wir viel machen, zum Beispiel ...
Du musst mich bald besuchen. | Bis bald!

LANDESKUNDE

Karneval in Deutschland. Ist das lustig?

A

Ja, das ist lustig! Ich liebe den Karneval. In Deutschland beginnt er am 11. November um 11 Uhr und 11 Minuten. Richtig lustig ist er aber erst in den letzten Wochen. An den 5 letzten sechs Karnevalstagen sind die ganz großen Feste. Das ist meistens im Februar, also mitten im Winter. Da ist es natürlich ziemlich kalt. Trotzdem sind viele Tausend Menschen auf der Straße. Sie haben Kostüme 10 und Masken, überall ist Musik, man tanzt und singt, man lacht und feiert. Besonders bekannt sind die Feste am Rhein, in den Großstädten Mainz, Köln und Düsseldorf. In Südwestdeutschland, in der deutsch- 15 sprachigen Schweiz und im Westen von Österreich heißt der Karneval „Fasnacht". In den anderen Teilen von Österreich und in Bayern sagt man „Fasching".

B

Nein, das ist in Deutschland überhaupt nicht lustig. In Rio vielleicht schon ... Beginnen wir mal mit dem Wetter: Beim Karneval in Rio de Janeiro ist es schön 5 warm, beim Karneval in Köln ist es kalt und ungemütlich, minus eins bis sieben Grad. Brrr! Was ich nicht so gern mag, ist dieser organisierte Spaß, dieses organisierte Lustigsein. Okay, das Sambatanzen in Rio 10 ist auch organisiert. Aber die Musik ist echt cool. Nicht so Humba-humba-täterää-Musik wie in Deutschland. Ich habe nichts gegen Feiern und Feste. Aber bitte keine Karnevalsfeste! Die sind 15 einfach nur langweilig.

1 Sehen Sie die Fotos an. Wen finden Sie sympathisch?

2 Lesen Sie Text A. Ergänzen Sie.
a Der Karneval in Deutschland beginnt am .... um ....
b Die Feste sind meistens im ....
c Der Karneval heißt auch .... oder ....

3 Markieren Sie je drei Stichworte in den Texten.
a Was findet die Frau lustig?
b Was findet der Mann nicht gut?

4 Und Sie? Gefällt Ihnen der Karneval oder nicht ? Feiern Sie Karneval? Erzählen Sie im Kurs.

Ich finde den Karneval super. Ich tanze so gern und ...

Gesundheit und Krankheit

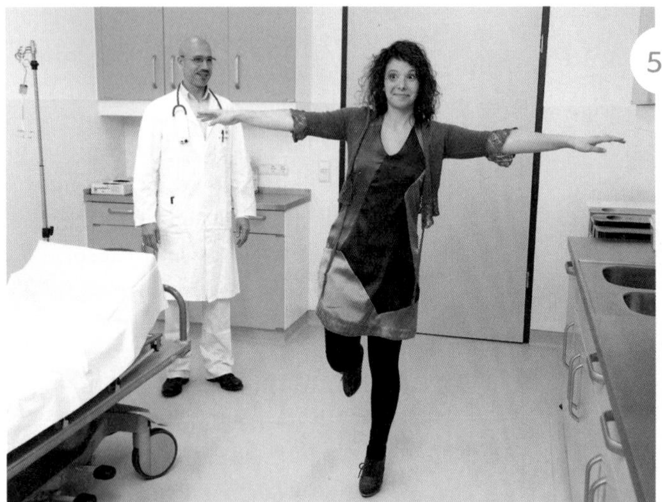

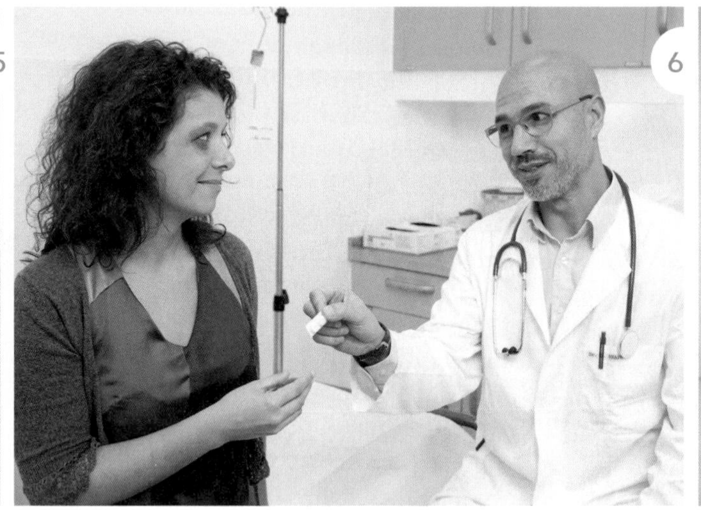

1 **Sehen Sie die Fotos an und zeigen Sie.**

• der Klub • die Notaufnahme • der Arzt • der Wartebereich • die Schmerztablette

3 36–43

2 **Was meinen Sie? Wer sagt was? Verbinden Sie.**
Hören Sie dann und vergleichen Sie.

a Mein Auge 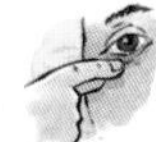 tut weh!
b Meine Freundin hatte einen Unfall.
c Der Doktor kommt gleich.
d Na, wo haben Sie denn Schmerzen?
e Wir gehen zum Arzt.
f Ich soll das Auge kühlen. 

Lara
Laras Freundin Ioanna
der Arzt
die Mitarbeiterin

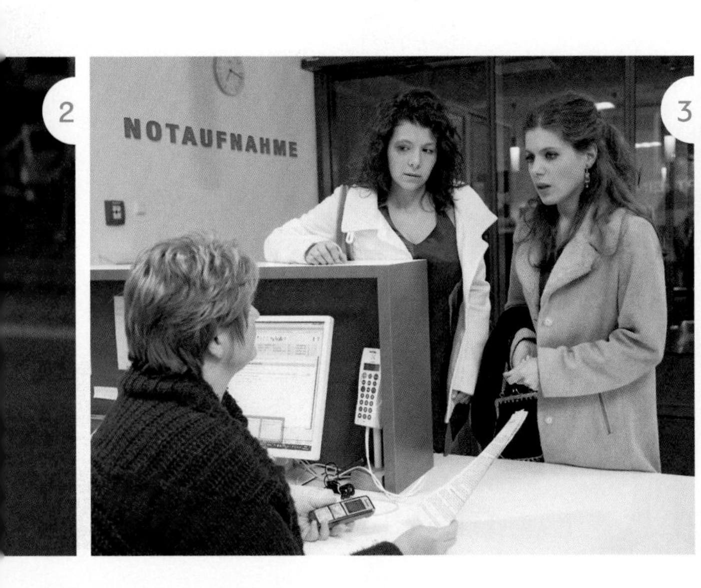

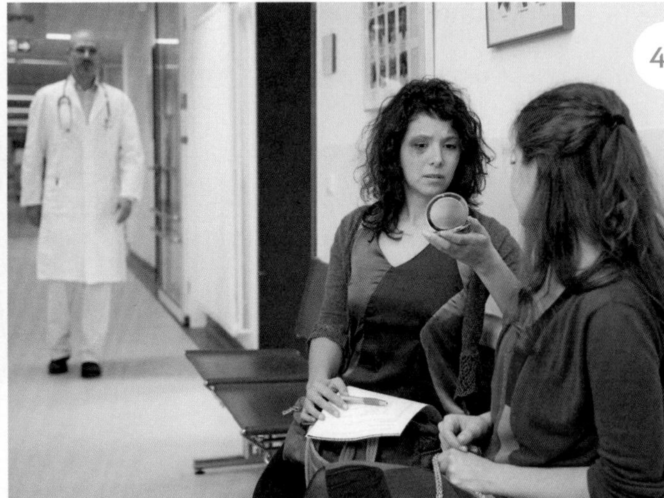

Laras Film

3 🔊 36–43

3 Hören Sie noch einmal. Ordnen Sie die Sätze.

◯ Die Mädchen gehen ins Krankenhaus.
① Ioanna und Lara haben im Klub getanzt.
◯ Ioanna hat einen Unfall. Das Auge ist blau. Sie hat Schmerzen.
◯ Der Arzt sagt: Es ist nicht schlimm.
◯ Ioanna füllt ein Formular aus.
◯ Lara hat auch ein blaues Auge.
◯ Der Arzt gibt Ioanna Schmerztabletten.
◯ Die beiden Mädchen sind lustig und singen „Unsere Augen sind so blau".

4 Wie finden Sie Laras Idee? Sprechen Sie.

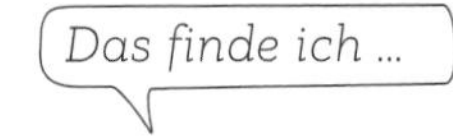

A Ihr Auge tut weh.

A1 Ordnen Sie zu.

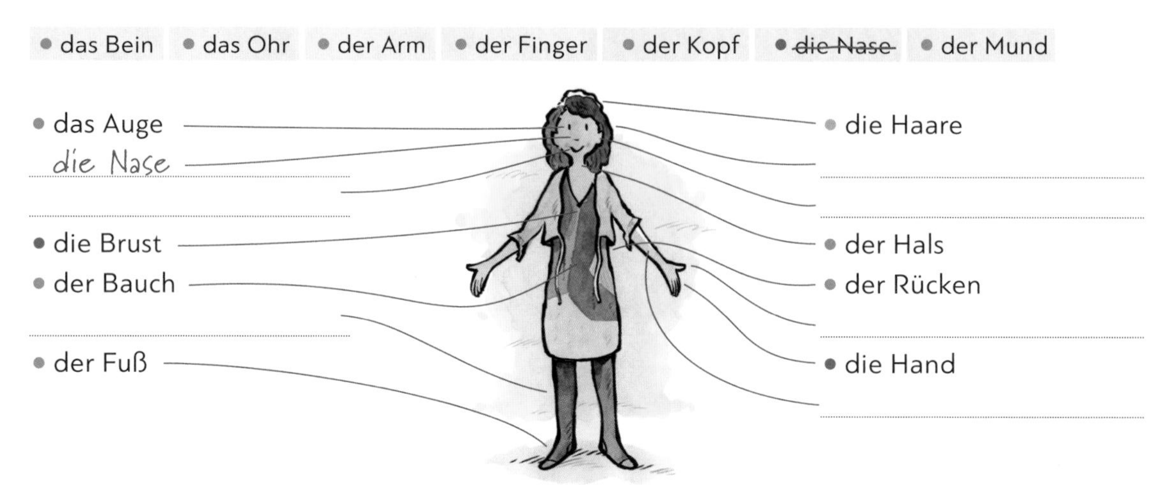

A2 Gute Besserung!

Was tut weh? Markieren Sie und ergänzen Sie die Tabelle.

A

Bert

Sein Kopf tut weh. Und seine Ohren auch.

B

Rosie

Ihr Bein tut weh.

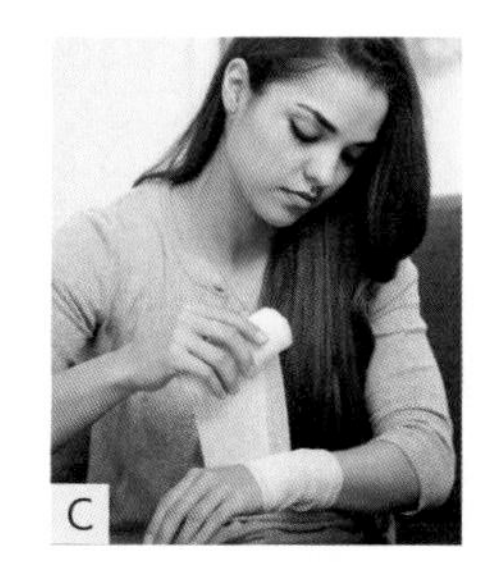
C

Hanna

Ihre Hand tut weh.

Possessivartikel

♂		♀	
sein	Kopf	ihr	Kopf
sein	Bein	....	Bein
seine	Hand	....	Hand
....	Ohren	ihre	Ohren

Bert	seine	Ohren
Hanna	ihre	Hand

A3 Was tut den Personen weh? Ergänzen Sie.

A 
sein Hals

B 
....

C 
....

D 
....

E 
....

A4 Monsterspiel: Zeichnen Sie ein Monster und beschreiben Sie.

Ihre Partnerin / Ihr Partner zeichnet mit. Vergleichen Sie Ihre Zeichnungen.

Mein Monster heißt Irene. Ihr Kopf ist sehr schmal. Ihre Haare sind kurz, ihre Augen sind sehr groß. ...

Irene

Hans

Mein Monster heißt Hans. Seine Zähne ...

B1 E-Mail

a Lesen Sie die E-Mail von Ioanna. Was ist richtig? Kreuzen Sie an.

1 ☒ Sie will „danke" sagen.
2 ○ Carlos ist krank.
3 ○ Sie informiert Lara: Sie haben morgen keinen Unterricht.

E-Mail senden

Liebe Lara,
das ist jetzt unser Lied: „Unsere Augen sind so blau"! Lara, Du bist toll! Vielen Dank für alles. Unser Abend war super.
Du, Carlos hat geschrieben: Frau Weber, unsere Lehrerin, ist krank. Das heißt, unser Unterricht fällt morgen aus.
Bis Donnerstag, Deine Ioanna

b Markieren Sie *unser/unsere* wie im Beispiel. Ergänzen Sie dann die Tabelle rechts.

Possessivartikel		
wir	•	Abend
	• unser	Lied
	•	Lehrerin
	•	Augen

B2 Nachrichten

a Lesen Sie die Nachrichten.
Wer schreibt was? Ordnen Sie zu.

Nachricht	1	2	3
Person			

eine Kollegin (K) | eine Freundin (F) | die Ehefrau (E)

1 E-Mail senden

Oh, nein, nun sind Julia und Jan beide krank. Ihre Ohren tun sehr weh. Wir gehen jetzt zum Kinderarzt. Kannst Du einkaufen gehen, Schatz? Küsse von Marie

2 E-Mail senden

Und Eure Mutter? Ist sie wieder gesund? Hoffentlich! Könnt Ihr dann zu uns zum Essen kommen? Alle Freunde und Bekannten kommen! Ihr auch, ja? Anna

3 E-Mail senden

Wie war Euer Termin mit Frau Pfeiffer? Ich komme morgen wieder in die Arbeit. Bin wieder gesund. Heike

b Markieren Sie *euer/eure* und *ihre* in a und ergänzen Sie die Tabellen.

Possessivartikel		
ihr	•	Termin
	• euer	Lied
	•	Mutter
	• eure	Ohren

Possessivartikel		
sie	• ihr	Termin
	• ihr	Lied
	• ihre	Mutter
	•	Ohren

B3 Im Kurs: Nachrichten

Schreiben Sie Nachrichten an Ihre Partnerin / Ihren Partner.
Verwenden Sie *unser/unsere – euer/eure – ihr/ihre*.

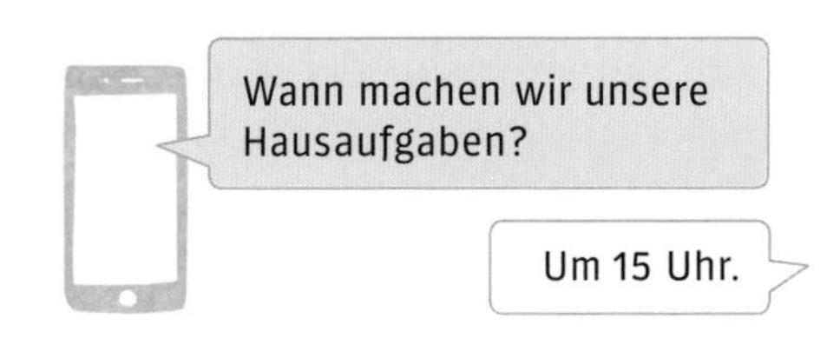

C Ich **soll** Schmerztabletten **nehmen**.

C1 Was sagt Ioanna? Schreiben Sie.

~~Schmerztabletten nehmen~~
das Auge kühlen
gleich ins Bett gehen
ein paar Schritte gehen
bei Problemen wieder ins Krankenhaus kommen

Ich soll Schmerztabletten nehmen.
Ich soll …

Nehmen Sie Schmerztabletten.
Der Doktor sagt: Ich soll Schmerztabletten nehmen.

C2 Der Arzt hat gesagt, …

Spielen Sie Gespräche mit *du* oder *Sie*.

◆ Der Arzt hat gesagt, Sie sollen die Medizin nehmen.
○ Was? Ich soll die Medizin nehmen?

viel trinken | Tabletten nehmen | im Bett bleiben | nicht trainieren | den Hals warmhalten

Modalverb *sollen*	
ich	soll
du	sollst
er/es/sie	soll
wir	sollen
ihr	sollt
sie/Sie	sollen

3 ◀)) 44–46

C3 Gesundheits-Hotline: Hören Sie die Gespräche.

a Wer hat welches Problem? Anrufer 1 (= 1), Anruferin 2 (= 2), oder Anrufer 3 (= 3)? Ordnen Sie zu.

○ Sonnenbrand  ① müde ○ Tochter hat Husten 

b Hören Sie noch einmal. Wer soll was machen? Ordnen Sie zu.

① viel spazieren gehen ○ zum Arzt gehen ○ Mira Saft geben  ○ Salbe verwenden 

c Sprechen Sie. *Anrufer 1 soll viel spazieren gehen.*

C4 Im Kurs: Geben Sie Gesundheitstipps.

Meine Freundin / Mein Bruder / Mein …

Bauchschmerzen
Fieber
Halsschmerzen
kann nicht schlafen
Kopfschmerzen
Schnupfen

viel trinken
spazieren gehen
abends nicht so viele Computerspiele machen
viel schlafen
am Abend keinen Kaffee trinken

Mein Freund hat Kopfschmerzen. Was kann man da tun?

Oje! Er soll viel trinken. Das hilft sicher!

D Eine Anfrage schreiben

D1 Wann haben Sie Stress? Was tut Ihnen da gut? Erzählen Sie.

Ich habe oft viel Stress im Büro. Ich gehe dann abends im Wald spazieren.

D2 Lesen Sie die Anzeigen (1–4). Welche Anzeige passt? Ordnen Sie zu.

Für eine Person gibt es keine Anzeige.

		Anzeige
a	Herr Meier hat zu viel zu tun. Er isst oft bei der Arbeit am Computer. Sein Bauch ist zu dick.	4
b	Annette Huber ist ledig und arbeitet viel. Sie möchte Leute kennenlernen und Sport machen. Sie möchte nichts bezahlen.	◯
c	Nina Schneider hat zwei Kinder und ist alleinerziehend. Sie arbeitet fünf Stunden in einem Büro und hat viel Stress. Die Oma kann in den Sommerferien zwei Wochen auf die Kinder aufpassen.	◯
d	Peter Hansen will Sport machen und joggen lernen. Er sucht ein Fitness-Studio.	◯
e	Armin Schremser hat viel Arbeit und leider keine Zeit für Urlaub. Er möchte für ein Wochenende mit seinen Kollegen in die Natur fahren.	◯

1

Anti-Stress-Seminar

Ihre Familie, Ihre Kollegen, Ihr Chef – alle wollen etwas? Sagen Sie auch einmal „Nein“! Unsere Sommerkurse sind ideal für Menschen mit Stress.

2-Wochen-Kurse von Juni bis Oktober
Anmeldungen per Telefon oder online bis zum 20. Juni möglich.

Haus Buchenhain, Chiemsee
Kursleiter: Martin Hintermeier

2

Zeit für Freunde!

Vergessen Sie den Alltagsstress. Machen Sie sich ruhige Tage im Grünen. Spielen Sie mit unseren Tierkindern. Oder beobachten Sie Tiere im Wald. Auf unserem Bauernhof ist Platz für Sie und Ihre Freunde.

Schreiben Sie uns!

Ferienpension Dörrer
Bergholz 152
8096 Gars am Inn
E-Mail:
Ferienpension_Dörrer@gmx.de

3

Lindenthaler Lauftreff

Unsere Gruppe ist für Menschen aus unserem Stadtteil. Besonders für Menschen mit viel Stress im Alltag. Wir treffen uns zweimal in der Woche (Dienstag und Donnerstag um 18 Uhr) und laufen oder machen sportliche Spaziergänge und Nordic Walking. Alles für Null Euro.

Treffpunkt: Parkplatz am Stadionbad
Kontakt: tobias85@dmail.de

4

Essen gegen Stress

5 doppelte Espresso am Tag? Dazu Fast Food mit viel Fleisch? Essen und Trinken kann krank machen. Besonders Menschen mit Stress sollen gesunde Sachen essen. Viel Müsli, Obst und wenig Fleisch.

Wir zeigen Ihnen: So geht das!

Volkshochschule Wangen
Kurs FR3456
Mittwochs
17:00 Uhr
Kursbeginn: 3. Juli

D3 Welche Anzeige aus D2 finden Sie interessant? Warum?

Ich finde den Lauftreff interessant. Man trifft Menschen und kann zusammen Sport machen. Das ist gut gegen Stress.

D4 Lesen Sie die E-Mail und ordnen Sie zu.

○ • der Betreff = Inhalt	○ • der Ort	○ • die Anrede
(1) • der Absender	○ • die Straße	○ • das Datum
○ • die Postleitzahl	○ • der Empfänger	
○ • die Hausnummer	○ • der Gruß	

Von: Armin Schremser [mailto:schremser@kabelmail.de] 1
Gesendet: Dienstag, 23. Juni 21:49 2
An: Ferienpension_Doerrer@gmx.de 3
Betreff: Anfrage Zimmer 2.–5. Juli 4

Sehr geehrte Damen und Herren, 5

ich habe Ihre Anzeige gelesen und finde Ihr Angebot interessant. Ich möchte gern vom 2. bis 5. Juli mit vier Kollegen zu Ihnen kommen und habe folgende Fragen:

- Kann man mit dem Zug zu Ihnen kommen?
- Haben Sie fünf Einzelzimmer frei?
- Kann man bei Ihnen auch Halbpension oder Vollpension buchen?

Vielen Dank für Ihre Auskunft.

Mit freundlichen Grüßen 6

Armin Schremser

1
Armin Schremser
Firma Berger GmbH
7 Barbarossaplatz 4 8
9 50859 Köln 10

D5 Wählen Sie eine Situation und schreiben Sie eine Anfrage.

A

Sie möchten gern mit einer Gruppe Sport machen. Sie haben aber nicht viel Zeit und sind nicht so sportlich. Schreiben Sie eine Anfrage zu Anzeige 3 auf Seite 123:
– Wie viele Kilometer?
– Nur einmal pro Woche möglich?

B

Sie haben oft Stress im Büro und zu Hause und möchten für zwei Wochen ein Seminar machen. Sie haben noch Fragen. Schreiben Sie eine Anfrage zu Anzeige 1 auf Seite 123:
– Kosten?
– Einzelzimmer möglich?

SCHON FERTIG? Schreiben Sie selbst eine E-Mail an die Ferienpension Dörrer.

E Terminvereinbarung

3 47–49 E1 Hören Sie die Gespräche. Was ist richtig? Kreuzen Sie an.

a Wo rufen die Personen an?	1	2	3
in einer Arztpraxis	○	○	○
bei einer Physiotherapeutin	○	○	○
im Fitness-Studio	☒	○	○

b Was möchten sie?	1	2	3
einen Termin ändern	○	○	○
einen Termin vereinbaren	○	○	○
einen Termin absagen	○	○	○

3 50 E2 Ergänzen Sie das Gespräch. Hören Sie dann und vergleichen Sie.

brauchen einen Termin | einen Termin frei | kann ich einfach vorbeikommen | haben Sie denn Zeit | Dann kommen Sie | ~~Was kann ich für Sie tun?~~

◆ Lindas Fitness-Club, Schäflein, guten Tag. *Was kann ich für Sie tun?*

○ Guten Morgen, hier spricht Kess. Ich möchte gern bei Ihnen Sport machen. Aber ich kenne Ihr Sportprogramm nicht.

◆ Kein Problem. Wir machen aber immer zuerst einen Fitness-Check.

○ Aha, sehr gut! Wie ist das: Braucht man da einen Termin oder ________________ ?

◆ Nein, nein, Sie ________________ . Wann ________________ ? Am Vormittag oder am Nachmittag?

○ Vormittag ist gut. Haben Sie am Freitag ________________ ?

◆ Na prima! ________________ am Freitagvormittag um zehn Uhr, ja?

○ In Ordnung. Tja, dann vielen Dank und bis Freitag.

◆ Bis Freitag. Tschüs, Frau Kess.

E3 Ordnen Sie zu.

~~Braucht man einen Termin oder kann man einfach vorbeikommen?~~ | Könnte ich bitte einen Termin haben? | Ich kann jetzt doch nicht kommen. | Ich muss für morgen leider absagen. | Kann ich unseren Termin auf Mittwoch verschieben? | Kann ich früher kommen? Es ist dringend! | Ich kann heute leider nicht (kommen). | Haben Sie am Freitag einen Termin frei?

1 einen Termin vereinbaren	2 einen Termin ändern	3 einen Termin absagen
Braucht man einen Termin oder kann man einfach vorbeikommen?		

E4 Rollenspiel: Spielen Sie Gespräche mit Ihrer Partnerin / Ihrem Partner.

A
Sie arbeiten in einer Zahnarztpraxis. Der nächste freie Termin ist morgen Nachmittag.

B
Sie haben Zahnschmerzen und brauchen dringend einen Termin.

Grammatik

1 Possessivartikel ÜG 2.04

	Nominativ				Akkusativ
	Singular			Plural	Singular maskulin ⚠
ich	• mein Kopf	• mein Bein	• meine Nase	• meine Ohren	• meinen Kopf
du	dein	dein	deine	deine	deinen
er/es	sein	sein	seine	seine	seinen
sie	ihr	ihr	ihre	ihre	ihren
wir	unser	unser	unsere	unsere	unseren
ihr	euer	euer	⚠ eure	⚠ eure	⚠ euren
sie	ihr	ihr	ihre	ihre	ihren
Sie	Ihr	Ihr	Ihre	Ihre	Ihren

Bert	seine	Ohren
Rosie	ihre	Hand

2 Modalverb: *sollen* ÜG 5.12

	sollen
ich	soll
du	sollst
er/es/sie	soll
wir	sollen
ihr	sollt
sie/Sie	sollen

Was sollen Peter und Jana tun? Ergänzen Sie.

Peter ist müde. Er .... schnell Kaffee ....
Jana ist auch müde. Sie .... das Fenster ....
Peter und Jana haben Hunger. Sie ....

3 Modalverb im Satz ÜG 10.02

	Position 2		Ende
Sie	sollen	zu Hause	bleiben.

Kommunikation

ÜBER DAS BEFINDEN SPRECHEN: Mein Auge tut weh!

Mein Auge / Meine ... tut/tun weh.
Es ist nicht schlimm.
Sie hat Schmerzen.
Frau Weber ist krank.
Mein Freund hat Kopfschmerzen.
Ich habe Fieber.
Meine Tochter hat Husten/Schnupfen.

Was sagt der Mann? Schreiben Sie.

Mein ... tut weh. Ich habe ...

ANWEISUNGEN GEBEN: Gehen Sie zum Arzt.

Kühlen Sie das Auge.
Gehen Sie gleich ins Bett.

Der Doktor sagt, ich soll Schmerztabletten nehmen.
Er soll viel spazieren gehen.
Er soll viel trinken.
Das hilft sicher.

EINEN TERMIN VEREINBAREN: Könnte ich bitte einen Termin haben?

Könnte ich bitte einen Termin haben?
Braucht man einen Termin oder kann man einfach vorbeikommen?
Haben Sie am Freitag einen Termin frei?
Wann haben Sie denn Zeit?
Sie brauchen einen Termin.
Dann kommen Sie am Freitagvormittag um zehn Uhr.

EINEN TERMIN ÄNDERN: Kann ich früher kommen?

Kann ich unseren Termin auf Mittwoch verschieben?
Kann ich früher kommen? Es ist dringend.

EINEN TERMIN ABSAGEN: Ich kann heute leider nicht.

Ich kann jetzt doch nicht kommen.
Ich kann heute leider nicht (kommen).

STRATEGIEN: Hoffentlich!

Oh, nein. | *Oje!* | *..., ja?* | *Hoffentlich!* | *Tja, ...*

Was sagt der Mann noch? Schreiben Sie fünf Sätze.

Der Doktor sagt, du ...

Schreiben Sie ein Telefongespräch: Vereinbaren Sie einen Arzttermin.

○ Hallo, mein Name ist ...
Könnte ich bitte ...

Sie möchten noch mehr üben?

3 | 51–53 AUDIO-TRAINING

VIDEO-TRAINING

Lernziele

Ich kann jetzt ...

A ... sagen: Wo tut etwas weh? *Mein Arm tut weh.* ________ ☺ 😐 ☹
B ... über die Gesundheit sprechen, Schmerzen beschreiben:
Seine Hand tut weh. ________ ☺ 😐 ☹
C ... Tipps und Ratschläge für die Gesundheit verstehen und geben:
Der Doktor sagt, ich soll Schmerztabletten nehmen. ________ ☺ 😐 ☹
D ... eine Anfrage schreiben:
Ich habe folgende Fragen: ... ________ ☺ 😐 ☹
E ... einen Termin vereinbaren, ändern und absagen:
Könnte ich bitte einen Termin haben? ________ ☺ 😐 ☹

Ich kenne jetzt ...

... 10 Körperteile:
der Kopf, ...

... 5 Krankheiten:
die Kopfschmerzen, ...

RÄTSEL

Hand in Hand

1 Wie heißen die Körperteile? Lesen Sie die Redewendungen und ergänzen Sie.

a Du suchst eine Wohnung? Ich halte die [Ohren] offen. ....

b Wir arbeiten [Hand] in [Hand] . Hand in Hand

c Er kann den [Hals] nicht voll bekommen. ....

d Können wir unter vier [Augen] sprechen? ....

e Willst du mich etwa auf den [Arm] nehmen? ....

2 Was bedeuten die Redewendungen? Ordnen Sie die Sätze den Redewendungen in 1 zu.

1 Kann ich allein mit dir reden?
2 Er will immer mehr (oft: Geld).
3 Wir arbeiten gut zusammen.
4 Das ist doch nicht wahr! Glaubst du, ich bin dumm?
5 Vielleicht höre ich ja etwas.

Redewendung	a	b	c	d	e
Satz		3			

LANDESKUNDE

Tipps für den Notfall

Lesen Sie die Situationen 1 und 2 und den Text. Was sollen Sie tun? Kreuzen Sie an.

1 Im Büro liegt jemand auf dem Boden. Sie sprechen ihn an. Er antwortet nicht.
○ 112 anrufen. ○ Selbst helfen.

2 Sie haben Besuch. Es ist 2 Uhr morgens. Ihr Besuch hat 40 Grad Fieber.
○ In eine Bereitschaftspraxis gehen und mit dem Arzt sprechen.
○ Einen ärztlichen Notdienst rufen oder in eine Notaufnahme gehen.

HILFE HOLEN – Tipps für den Notfall

Es gibt einen Notfall, ein Mensch ist plötzlich sehr krank oder ein Unfall ist passiert. Jede Minute ist wichtig.

→ Mit der Notrufnummer 112 können Sie den Notarzt[1] rufen.

Sie brauchen dringend einen Arzt, aber die normalen Arztpraxen haben geschlossen. Das können Sie jetzt tun:

→ Rufen Sie den ärztlichen Notdienst.[2] Dann kommt ein Arzt zu Ihnen oder Sie bekommen eine Adresse und können dort hingehen.

→ Gehen Sie zu einer Bereitschaftspraxis. Diese Praxen sind auch am Abend, am Wochenende und an Feiertagen geöffnet.

→ Gehen Sie in ein Krankenhaus. Die meisten Krankenhäuser haben eine Notaufnahme. Diese ist Tag und Nacht geöffnet.

[1] auch: Rettungsdienst
[2] auch: ärztlicher Bereitschaftsdienst

FILM

Alfons, der Hypochonder

1 Sehen Sie die Fotos an und ergänzen Sie die Körperteile.

A

Das ist Alfons. Er hat ein Problem. Er ist Hypochonder. Jeden Tag hat er eine neue Krankheit.

B

Am Montag sagt er: Mein rechtes __Ohr__ ist so groß.

C

Am Dienstag sagt er: Meine ________ sind heute so gelb.

D

Am Mittwoch sagt er: Meine linke ________ ist dick.

E

Am Donnerstag sagt er: Meine ________ ist eiskalt.

F

Am Freitag sagt er: Meine ________ sind kurz.

G

Am Samstag geht Alfons in sein Lieblingsgeschäft.

H

Am Sonntag geht es Alfons richtig gut: einen Tag lang. Aber dann ...

I

... kommt schon wieder der Montag. Armer Alfons!

2 Sehen Sie den Film an und vergleichen Sie.

In der Stadt unterwegs

1 Was sehen Sie auf den Fotos? Markieren Sie.

• die (Auto-)Werkstatt • das Auto • der Autoschlüssel • die Apotheke • das Navi
• die S-Bahn • die Autobahn • die Tankstelle • das Eis • die Brücke • die Ampel

2 Was passt? Ordnen Sie zu.

○ Fahren Sie nach rechts.
○ Fahren Sie geradeaus.
○ Fahren Sie nach links.

Tims Film

4 1 **3 Sehen Sie Foto 1 an und hören Sie. Ordnen Sie zu. Achtung: Nicht alles passt.**

zwei | zwölf | Medikamente kaufen | eine Erkältung | kein Problem | ~~sein Auto zur Werkstatt bringen~~

a Was sollen Lara und Lili für Walter tun? Sie sollen sein Auto zur Werkstatt bringen.
b Warum macht Walter das nicht selbst? Er hat ______________________.
c Wann macht die Werkstatt zu? Um ______________________.

4 1–8 **4 Sehen Sie die Fotos an und hören Sie.**

a Warum kommen Lara und Lili so spät an? Kreuzen Sie an.

○ Sie finden die Werkstatt nicht. Das Navi zeigt den falschen Weg.
○ Sie fahren auf die Autobahn. Lara möchte einmal richtig schnell fahren.

b Was bedeutet „Alles im grünen Bereich"? Kreuzen Sie an.

○ Alles ist okay. ○ Nichts funktioniert.

A Fahren Sie dann **nach links**.

4 ◀)) 9 **A1 Wie soll Lara fahren?**
Hören Sie und kreuzen Sie an.

○ A ○ B

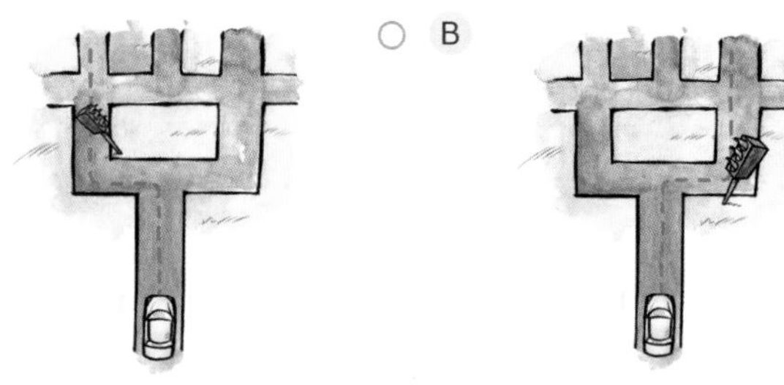

4 ◀)) 10 **A2 Hören Sie und zeichnen Sie den Weg.**

A3 Sehen Sie den Stadtplan in A2 an. Fragen Sie und antworten Sie.

Entschuldigung, ich suche den Bahnhof / das Museum / ...
Wo ist hier die Post / ein Hotel?
Ist hier ein Hotel in der Nähe?

Gehen Sie immer geradeaus.
Sie gehen zuerst geradeaus und dann die zweite Straße rechts / an der Ampel links.
Gehen Sie geradeaus und nach 300 Metern links.
Tut mir leid, ich bin auch fremd hier. / Ich bin nicht von hier.

Wo ist hier ein Hotel?

Gehen Sie ...

die erste Straße	
die zweite Straße	links/rechts
die dritte Straße	

A4 Sie sind im Kurs. Erklären Sie Ihrer Partnerin / Ihrem Partner einen Weg.
Sie/Er rät den Ort.

Du gehst rechts, dann geradeaus, dann die zweite Straße links. Dann bist du nach 100 Metern da.

B Wir fahren **mit dem Auto**.

4 🔊 11–15 B1 Wir fahren mit dem Auto.

a Womit fahren/fliegen die Personen? Hören Sie und kreuzen Sie an.

○ mit • dem Flugzeug 
○ mit • dem Zug 
☒ mit • dem Auto 
○ mit • der Straßenbahn 
○ mit • der U-Bahn 
○ mit • der S-Bahn 
○ mit • dem Taxi 
○ mit • dem Bus 
○ mit • dem Fahrrad 

b Wohin möchten die Personen? Hören Sie noch einmal und ordnen Sie zu.

• das Filmmuseum • ~~die Werkstatt~~ • der Fußballplatz • die Schule • der Karolinenplatz

1 Lara und Lili sollen zur Werkstatt fahren.
2 Die Frau möchte zum ……………….
3 Das Paar will zum ………………, aber zu Fuß ist das zu weit.
4 Der junge Mann muss zum ……………….
5 Die Frau sucht die ……………….

Wie? (modale Präposition)	
• der Bus	→ mit dem Bus
• das Auto	→ mit dem Auto
• die U-Bahn	→ mit der U-Bahn
⚠ zu Fuß	

Wohin? (lokale Präposition)	
• der Fußballplatz	→ zum Fußballplatz
• das Museum	→ zum Museum
• die Werkstatt	→ zur Werkstatt

zu + dem = zum
zu + der = zur

B2 Sehen Sie den Netzplan an. Sie sind am Hauptbahnhof. Fragen Sie und antworten Sie.

◆ Entschuldigung. Wie komme ich zum Schwimmbad? Kann ich zu Fuß gehen?
○ Zu Fuß? Nein, das ist viel zu weit. Fahren Sie mit dem Bus 31 bis zur Station „Schwimmbad".

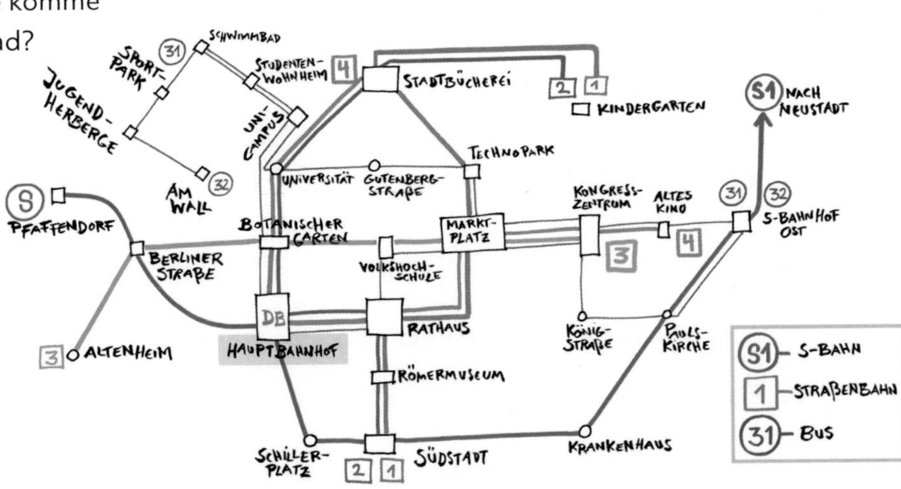

B3 Meine Wege und Verkehrsmittel

Zeichnen Sie Ihren persönlichen „Netzplan" und sprechen Sie dann mit Ihrer Partnerin / Ihrem Partner.

Ich fahre mit dem Auto zur Uni. Zum Fitness-studio fahre ich mit dem Bus. Zu Katja …

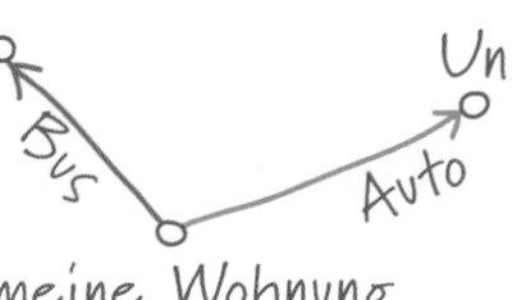

C Da! Vor der Brücke links.

4 16 **C1 Hören Sie und verbinden Sie.**

a Wo darf man nur 50 fahren? — In der Stadt.
b Wo geht es zur Autobahn?
c Wo soll Lara bleiben?
d Wo soll Lara nach links fahren?

Vor der Brücke links.
In der Stadt.
An der Ampel.
Auf der Autobahn.

C2 In der Stadt

a Sehen Sie das Bild an. Welche Wörter kennen Sie? Zeigen Sie und sammeln Sie im Kurs.

Also, das ist ein Lkw, glaube ich.

Und hier sieht man einen Kiosk.

b Was ist richtig? Kreuzen Sie an.

1 Zwei Lkws stehen ○ auf der Straße. ☒ auf dem Parkplatz.
2 Die Kinder warten ○ in der Schule. ○ an der Bushaltestelle.
3 Ein Mann kauft ○ am Kiosk ○ in der Buchhandlung eine Zeitung.
4 Ein Paar sitzt ○ hinter dem Café. ○ im Café.
5 Die Bücherei ist ○ über der Bäckerei. ○ unter der Bäckerei.
6 Ein Baum steht ○ hinter den Häusern. ○ zwischen der Post und der Bank.

c Ergänzen Sie die Tabelle.

	Dativ
Wo?	● dem Parkplatz
hinter/vor/neben/...	● .... Café
	● .... Bäckerei
	● .... Häusern

an + dem = am
in + dem = im

lokale Präpositionen
Wo?

an
auf
hinter
in
neben
über
unter
vor
zwischen

C3 Sehen Sie das Bild aus C2 an. Fragen Sie und antworten Sie.

◆ Wo ist der Parkplatz?
○ Neben der Fußgängerzone.

D Wir gehen **zu Walter** und holen das Auto.

D1 Wo ist ...?

a Wissen Sie es noch? Kreuzen Sie an.

Wo ist ...
1 Walter? ○ Beim Arzt. ○ Im Bett.
2 Sofia? ○ In der Apotheke. ○ In der Werkstatt.

4 🔊 17 **b** Hören Sie und vergleichen Sie.

Wo? ◎	lokale Präpositionen
Person:	● beim Arzt | ● bei der Freundin | bei Walter
„Haus"/Ort/Geschäft:	● im Kindergarten | ● im Bett | ● in der Apotheke
Land/Stadt:	in Österreich/Wien | ● im Jemen | ● in der Schweiz | ● in den USA/Niederlanden
⚠	zu Hause

D2 Wo ist der Chef? Fragen Sie Ihre Partnerin / Ihren Partner.

bei dem = beim

◆ Ist der Chef nicht da?
○ Nein, tut mir leid. Er ist beim Zahnarzt.

Frankfurt | ● der Konferenzraum | ● die Werkstatt | ● die Apotheke | ● die Praxis | ● der Hausmeister | ● die Schweiz | ● das Sekretariat | ● der Arzt | ...

D3 Paulos Termine. Lesen Sie den Kalender und ergänzen Sie.

Am Montag fährt Paulo in die ______.
Er muss für einen Tag nach *Basel* ______.
Am Dienstag geht er ins ______.
Am Mittwoch muss er zum ______.
Am Donnerstag geht er ins ______.
Am Freitag geht er zum ______ und kauft für das Wochenende ein.
Am Samstag geht er zuerst zu ______.
Dann fahren sie zusammen ins ______ und sehen das Fußballspiel an.

Montag
Schweiz/Kundentermin in Basel
Dienstag
Fitnessstudio
Mittwoch
Zahnarzt!
Donnerstag
Konzert
Freitag
Supermarkt
Samstag
Martin abholen, Fußballstadion
Sonntag

Wohin? ➔	lokale Präpositionen
Person:	● zum Zahnarzt | ● zur Freundin | zu Walter
Geschäft:	● zum Supermarkt | ● zur Apotheke
„Haus"/Ort:	● in den Kindergarten | ● ins Kino
Land/Stadt:	nach Österreich/Basel | ● in den Jemen | ● in die Schweiz | ● in die USA/Niederlande
⚠	nach Hause

D4 Wo waren Sie diese Woche? Wohin gehen/fahren Sie noch?

Notieren Sie und sprechen Sie dann mit Ihrer Partnerin / Ihrem Partner.

Also, am Montag war ich bei Janet. Wir haben einen Filmabend gemacht. Morgen fahre ich nach Frankfurt. Ich habe dort ein Vorstellungsgespräch. Und am Wochenende fahre ich zu Freunden. Sie wohnen in Aschaffenburg.

Montag: 19 Uhr Janet -> Filmabend
Mittwoch: Frankfurt -> Vorstellungsgespräch
Freitagabend bis Sonntag: Freunde besuchen

D5 Neu in der Stadt

a Was möchten Sie machen? Notieren Sie.

kopieren
Brötchen kaufen
eine DVD ausleihen
...

b Spielen Sie kleine Gespräche.

- ◆ Wo kann ich kopieren?
- ○ Da musst du zum Copyshop gehen.
- ◆ Ist das weit?
- ○ Nein. Der Copyshop ist gleich da vorne. Neben der Buchhandlung an der Ecke.

Wo gibt es hier einen/ein/eine ...?	*Im / In der ...*
Wo kann ich hier ... kaufen/ bekommen/...?	*Da gehen Sie zu/zum/zur ... Er/Es/Sie ist gleich hier in der Nähe. / gar nicht weit weg. / da an der Ecke. / gleich da vorne/hinten/drüben.*
Gibt es hier / in der Nähe ...?	
Und wo finde ich ...?	
Kann ich zu Fuß gehen?	*Ja, es ist nicht weit. / Nein, Sie müssen mit der U-Bahn / mit dem Bus / ... fahren.*

D6 Ein Tag im Leben von ...

Wählen Sie eine Person. Was macht die Person? Wo ist sie wann? Wohin geht/fährt sie? Schreiben Sie. Lesen Sie dann Ihren Text im Kurs vor. Die anderen raten: Wer ist das?

A • der Reiseführer

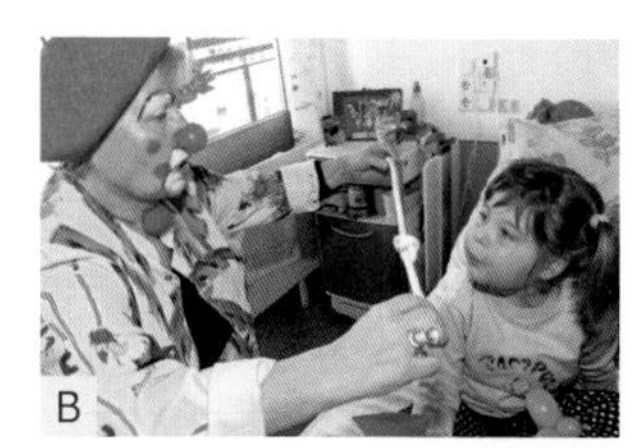
B • der Krankenhausclown

C • die Tänzerin

D • der Koch

Meine Person ist viel unterwegs. Sie fährt mit dem Auto nach Wien zur Touristeninformation. Dort holt sie Touristengruppen ab. Sie geht ...

SCHON FERTIG? Morgen haben Sie frei. Wohin gehen/fahren Sie? Was machen Sie dort? Schreiben Sie.

E Am Bahnhof

4 🔊 18–22 E1 Hören Sie die Durchsagen und ordnen Sie zu.

	Durchsage
a Der Zug fährt von Gleis 8 ab.	3
b Die Fahrgäste sollen einsteigen.	○
c Der Zug hat Verspätung. Er kommt 10 Minuten später an.	○
d Die Fahrgäste können in einen Zug nach Berlin umsteigen.	○
e Die Fahrgäste sollen aussteigen.	○

einsteigen

aussteigen

umsteigen

abfahren
• die Abfahrt

ankommen
• die Ankunft

4 🔊 23 E2 Am Schalter

a Was ist richtig? Hören Sie und kreuzen Sie an.

1 Die Frau möchte ○ heute ○ morgen nach Bad Cannstatt fahren.

2 Sie ○ kann direkt fahren. ○ muss umsteigen.

3 Sie kauft die Fahrkarte ○ am Fahrkartenautomaten. ○ am Schalter.

b Was hören Sie im Gespräch? Hören Sie noch einmal und markieren Sie.

F Ich brauche eine Auskunft: Wann fährt der nächste Zug nach Bad Cannstatt?
○ Um 9 Uhr 50. ○ Muss ich umsteigen? ○ Wann kommt der Zug in Bad Cannstatt an?
○ Ja. In Stuttgart. ○ Gleich am Bahnsteig gegenüber. ○ Bitte achten Sie auf die Durchsagen.
○ Bekomme ich die Fahrkarte bei Ihnen oder am Fahrkartenautomaten?
○ Am Automaten und hier am Schalter. ○ Sie haben Anschluss nach Stuttgart.
○ Einfach oder hin und zurück? ○ Gut, dann bitte eine Fahrkarte einfach.
○ 63 Euro, bitte. Und hier Ihre Fahrkarte. ○ Von welchem Gleis fährt der Zug ab? ○ Von Gleis 9.

c Wer sagt was? Ordnen Sie in b zu (F = Fahrgast, M = Mitarbeiter).

E3 Spielen Sie ein Gespräch. Tauschen Sie auch die Rollen.

Fahrgast
Sie wohnen in Leipzig und möchten am Freitag nach Wien fahren.

Mitarbeiterin/Mitarbeiter
Geben Sie Auskunft.

Ihr Fahrplan

Bahnhof/Haltestelle	Datum	Zeit	Gleis	Produkte	Normalpreis
Leipzig Hbf	Fr, 21.03.	ab 14:02	10	ICE 209	152,00 EUR
Nürnberg Hbf	Fr, 21.03.	an 17:24	9		→ zur Buchung
Nürnberg Hbf	Fr, 21.03.	ab 18:30	12	ICE 229	
Wien Westbahnhof	Fr, 21.03.	an 23:08	2		

SCHON FERTIG? Wohin möchten Sie gern mit dem Zug fahren? Spielen Sie weitere Gespräche.

Grammatik

1 Modale Präposition: *mit* + Dativ ÜG 6.04

				Plural
	• der → dem	• das → dem	• die → der	• die → den
mit	• dem Zug	• dem Auto	• der U-Bahn	• den Kindern

Schreiben Sie Sätze.

Meine Verkehrsmittel
Ich fahre oft mit ...
Ich fahre manchmal mit ...

2 Lokale Präpositionen auf die Frage „Wo?" + Dativ ÜG 6.02, 6.03

				Plural
neben	• dem Kiosk	• dem Hotel	• der Post	• den Häusern

auch so: an, auf, bei, hinter, in, über, unter, zwischen, vor

Wo ist Sofia?

Person:	• beim Arzt | • bei der Freundin | bei Walter
„Haus"/Ort/Geschäft:	• im Kindergarten | • im Bett | • in der Apotheke
Land/Stadt:	in Österreich/Wien | • im Jemen | • in der Schweiz | • in den USA/Niederlanden

⚠ an + dem = am
bei + dem = beim
in + dem = im

⚠ zu Hause

Wo sind die Mäuse?
Schreiben Sie.

Eine Maus ist ...

3 Lokale Präpositionen auf die Frage „Wohin?" ÜG 6.02, 6.03

Wohin ist Paulo gefahren?

Person:	• zum Zahnarzt | • zur Freundin | zu Walter
Geschäft:	• zum Supermarkt | • zur Apotheke
„Haus"/Ort:	• in den Kindergarten | • ins Kino

⚠ zu + dem = zum
zu + der = zur

Land/Stadt:	nach Österreich/Basel • in den Jemen | • in die Schweiz | • in die USA/Niederlande

⚠ nach Hause

Ihre Orte, Geschäfte, Personen:
Wohin fahren/gehen Sie oft?
Notieren Sie.

ins Büro
...

Kommunikation

ORIENTIERUNG: Wo ist hier die Post?

Entschuldigung, ich suche den Bahnhof / das Museum / ...

Gehen Sie immer geradeaus.
Sie gehen zuerst geradeaus und dann die zweite Straße rechts / an der Ampel links.

Wo ist hier die Post / ein Hotel / ...?	*Gehen Sie geradeaus und nach 300 Metern links.*
	Fahren Sie nach rechts / nach links / geradeaus.
	Dann sind Sie nach 100 Metern da.
Ist hier ein Hotel in der Nähe?	*Tut mir leid, ich bin auch fremd hier. / Ich bin nicht von hier.*
Wo gibt es hier einen/ein/eine ...?	*Im / In der ...*
Wo kann ich hier ... kaufen/bekommen/...?	*Da gehen Sie zu/zum/zur ... Er/Es/Sie ist gleich hier in der Nähe. / gar nicht weit weg. / da an der Ecke. / gleich da vorne/ hinten/drüben.*
Gibt es hier / in der Nähe ...? Und wo finde ich ...? Kann ich zu Fuß gehen?	*Ja, es ist nicht weit. / Nein, Sie müssen mit der U-Bahn / mit dem Bus / ... fahren.*

AM SCHALTER: Ich brauche eine Auskunft.

Ich brauche eine Auskunft: Wann fährt der nächste Zug nach ...? Wann kommt der Zug in ... an?	*Um ... Uhr. / Um ...*
Von welchem Gleis fährt der Zug ab?	*Von Gleis ...*
Muss ich umsteigen?	*Ja. In ... Sie haben Anschluss nach ... / Nein.*
Bekomme ich die Fahrkarte bei Ihnen oder am Fahrkartenautomaten?	*Am Automaten und hier am Schalter. Einfach oder hin und zurück?*
Bitte eine Fahrkarte einfach. / hin und zurück.	

Eine Freundin / Ein Freund ist am Bahnhof. Beschreiben Sie den Weg zu Ihrer Wohnung.

Hallo ..., ich bin jetzt am Bahnhof. Wie komme ich zu Dir? Kann ich zu Fuß gehen?

Nein, du fährst ...

Schreiben Sie ein Gespräch.

Bahnhof / Haltestelle	Datum	Zeit	Gleis
Ulm Hbf	24.5.	ab 12:51	1
Mannheim Hbf	24.5.	ab 14:28	9
Mannheim Hbf	24.5.	ab 14:39	8
Köln Hbf	24.5.	ab 17:05	3

◇ Wann kommt der Zug in Köln an?
● Um 17 Uhr 05.

Sie möchten noch mehr üben?

Lernziele

Ich kann jetzt ...

A ... nach dem Weg fragen, Wegbeschreibungen verstehen: *Entschuldigung, ich suche den Bahnhof.* ________ ☺ 😐 ☹

B ... sagen: Welche Verkehrsmittel benutze ich? *Wir fahren mit dem Auto.* ________ ☺ 😐 ☹

C ... Ortsangaben verstehen und selbst formulieren: *Vor der Brücke links.* ________ ☺ 😐 ☹

D ... Orte und Richtungen angeben: *Wir gehen zu Walter.* ________ ☺ 😐 ☹

E ... Fahrpläne und Durchsagen verstehen: *Der Intercity 79697 fährt heute von Gleis 8 ab.* ________ ☺ 😐 ☹

... am Bahnhof Fahrkarten kaufen: *Wann fährt der Zug nach ...?* ________ ☺ 😐 ☹

Ich kenne jetzt ...

10 Orte in der Stadt:

der Bahnhof, ...

5 Verkehrsmittel:

der Zug, ...

SCHREIBEN

Mein Tag

1 Sehen Sie das Bild an und lesen Sie den Text „Mein Tag". Wer erzählt?

MEIN **TAG**

DO 23

Ich habe um sieben Uhr gefrühstückt. Dann bin ich mit der U-Bahn zum Pariser Platz gefahren. Dort habe ich bis 12 Uhr im Büro gearbeitet.

Dann bin ich mit dem Taxi zum Hauptbahnhof gefahren. Da habe ich einen Geschäftspartner aus Österreich getroffen. Wir sind in ein Restaurant gegangen.

Um 17 Uhr 30 habe ich den Geschäftspartner wieder zum Zug gebracht und dann bin ich nach Hause gefahren.

20:25 Uhr

2 Wählen Sie nun eine Person aus und schreiben Sie einen Text „Mein Tag".
Lesen Sie dann Ihren Text im Kurs vor. Die anderen raten: Wer ist das?

FILM

Verkehr und Verkehrsmittel

Sehen Sie den Film zum Thema „Verkehr und Verkehrsmittel" an. Welche Verkehrsmittel sehen Sie? Sammeln Sie im Kurs.

LIED

4 🔊 27

Entschuldigen Sie …?

Entschuldigen Sie? … Darf ich Sie was fragen?
Ich bin fremd in dieser Stadt. Bitte können Sie mir sagen:
Wie komm' ich denn von hier zur Universität?
Ich hab' einen Termin dort und ich bin schon viel zu spät.
Fahr' ich mit der U-Bahn, mit der S-Bahn, mit dem Bus?
Oder ist es nicht so weit? Dann gehe ich zu Fuß.

Sie geh'n da vorne links an diesem Kiosk vorbei.
Und dann geh'n Sie immer weiter bis zu einer Bäckerei.
Neben dem Geschäft muss auch 'ne Buchhandlung sein.
Und hinter der geht rechts ein kleiner Weg hinein.
Aber Achtung! Dieser Weg ist wirklich ziemlich schmal
und ich glaub', es ist am besten, Sie fragen dort noch mal.

Entschuldigen Sie? … Darf ich Sie was fragen?
Ich bin fremd in dieser Stadt. Bitte können Sie mir sagen:
Wie komm ich denn von hier zur Universität?
Ich hab' einen Termin dort und ich bin schon viel zu spät.
Fahr' ich mit der U-Bahn, mit der S-Bahn, mit dem Bus?
Oder ist es nicht so weit? Dann gehe ich zu Fuß.

Zur Universität? … Aha, aha, aha,
… zur Universität, seh'n Sie mal, da geh'n Sie da
hinter diesem Parkplatz rechts die Treppe hinauf
und oben bei der Apotheke dann geradeaus.
Und dann geh'n Sie immer weiter, bis es nicht mehr weitergeht.
Dann sind Sie in der Nähe von der Universität.

Refrain:

Da hinten? Da vorne?
… Danke, danke!
Links und rechts und
… Danke, danke!
Da oben? Da unten?
… Danke, danke!
Geradeaus?
… Das ist wirklich sehr nett!

1 Hören Sie das Lied und lesen Sie dazu den Liedtext. Sehen Sie das Bild an. Wo ist was? Ordnen Sie zu.

◯ Buchhandlung ① Kiosk ◯ Bäckerei
◯ Parkplatz ◯ Universität ◯ Apotheke

2 Hören Sie noch einmal und singen Sie den Refrain mit.

Kundenservice

1 Sehen Sie die Fotos an. Wo sehen Sie was? Ergänzen Sie.

a eine Tasche: Foto 1 bis 7
b eine Plastiktüte: ....
c eine Rechnung: ....
d einen Verkäufer: ....
e etwas ist kaputt: ....

4 28–35

2 Sehen Sie die Fotos an und hören Sie. Was ist richtig?
Kreuzen Sie an.

a ○ Laras Tasche war teuer.
b ○ Die Tasche ist neu, aber schon kaputt.
c ○ Der Verkäufer repariert die Tasche heute.
d ○ Lara bekommt ihre Tasche am Dienstag.
e ○ Lara findet den Service gut.

Laras Film

4 28–35

3 Ordnen Sie zu. Hören Sie noch einmal und vergleichen Sie.

Dienstag | kaputt | Laden | ~~Tasche~~ | Plastiktüte | reparieren | soll

Lara hat eine _Tasche_ gekauft. Sie ist schon .... Lara geht in den .... Der Verkäufer soll die Tasche .... Er sagt, Lara .... die Tasche reparieren. Aber das macht Lara nicht. Lara bekommt die Tasche am .... zurück. Am Ende gibt der Verkäufer Lara eine ....

4 Sprechen Sie.

Lara ist sauer.
Verstehen Sie, warum?

Ja, ich verstehe das. Der Verkäufer ist ...

• der Service | • der Verkäufer | unfreundlich | normal | schlecht | nicht so gut | ...

A Gleich **nach dem Kurs** gehe ich hin.

A1 Ordnen Sie zu.

bei nach vor

A

Das ist Lara .... dem Kurs.

B

Das ist Lara .... dem Kurs.

C

Das ist Lara .... den Hausaufgaben.

temporale Präpositionen + Dativ	
Wann?	
vor nach bei	• dem Kurs • dem Training • der Arbeit • den Hausaufgaben

⚠ • beim Sport / • beim Training

vor	• einem Tag
nach	• einer Woche

4 🔊 36 **A2 Ergänzen Sie *bei*, *nach* und *vor*.**
Hören Sie dann und vergleichen Sie.

◆ Ich will Sie nicht *bei der* Arbeit stören. Aber: Könnten Sie mir bitte helfen?
○ Was kann ich denn für Sie tun?
◆ Die Tasche habe ich .... Woche hier bei Ihrem Kollegen gekauft. Sie ist leider schon kaputt. Schon .... Woche.

A3 Ein Tag in Jana Müllers Laden

4 🔊 37 **a** Was passiert wann im Laden? Hören Sie und verbinden Sie.

Wann?	Was?
1 vor der Mittagspause	Taschen und Kleider sortieren
2 vor dem Frühstück	ein bisschen lesen
3 beim Mittagessen	viele Taschen und Kleider verkaufen
4 nach der Mittagspause	Reparaturen machen und nähen

b Sprechen Sie.

Vor der Mittagspause macht Frau Müller Reparaturen und ...

A4 Ihr Tag

Schreiben Sie fünf Sätze über Ihren Tag mit *vor*, *bei* und *nach*. Eine Aussage stimmt nicht. Ihre Partnerin / Ihr Partner rät.

1 Vor dem Frühstück dusche ich.
2 Beim Training ...

B Sie bekommen sie **in vier Wochen.**

4 38 B1 Verbinden Sie. Hören Sie dann und vergleichen Sie.

a ◆ Wie lange brauchen Sie für die Reparatur?
b ◆ Wie lange dauert es denn?
c ○ Ab wann brauchen Sie die Tasche denn wieder?

◆ Bis morgen?
◆ Ab Montag.
○ Sie bekommen die Tasche in etwa vier bis sechs Wochen zurück.

temporale Präposition + Dativ			
Wann?	in	• einem	Monat
		• einem	Jahr
		• einer	Woche
		• drei	Jahren

(Ab) wann?	ab • ⟶	3 Uhr; Dienstag
Wie lange?	bis ⟶ •	5 Uhr; morgen, nächste Woche

4 39 B2 Ergänzen Sie *ab*, *bis*, *in*. Hören Sie dann und vergleichen Sie.

A

◆ Unsere Kamera funktioniert nicht. Können Sie bitte mal nachsehen? Was ist da kaputt?
○ Oh, das muss der Chef machen. Er ist aber bis 14 Uhr in der Mittagspause. Wollen Sie warten?
◆ Nein, dann kommen wir .... einer Stunde wieder.

B

▲ Ich glaube, mein Fernseher ist kaputt. Kann bitte jemand nachsehen?
□ Natürlich. Aber im Moment geht es leider nicht. Können Sie bitte .... heute Abend warten? .... 19 Uhr kommt der Techniker.
▲ Kein Problem.

B3 Rollenspiel: Ihr Tablet ist kaputt. Rufen Sie beim Kundenservice an.

Sie haben ein Tablet Modell C 3.0 gekauft. Es funktioniert nicht. Sie haben noch 6 Monate Garantie.

○ Techno Markt, guten Tag. Meier. Was kann ich für Sie tun?
○ Guten Tag. Mein Name ist ... Mein Tablet funktioniert nicht.
◆ Aha. Was für ein Modell ist es?
○ Ein ... Ich habe noch ... Monate Garantie.
◆ Gut, dann bringen Sie das Gerät bitte vorbei.
○ Bis wann können Sie das Gerät reparieren?
◆ Kommen Sie ... Dann ist das Gerät fertig.
○ Danke.

C Könnten Sie mir das bitte zeigen?

4 ◀)) 40 **C1 Hören Sie und kreuzen Sie an. Welcher Satz ist freundlich ☺, welcher nicht ☹?**

a ☒ ☺ ○ ☹ Könnten Sie mir das bitte zeigen?
b ○ ☺ ○ ☹ Helfen Sie mir!
c ○ ☺ ○ ☹ Geben Sie mir einfach eine neue Tasche!
d ○ ☺ ○ ☹ Würden Sie mir dann bitte mein Geld zurückgeben?

☹ Helfen Sie mir!
☺ Könnten Sie mir bitte helfen?
Würden Sie mir bitte helfen?

Könnten Sie mir bitte helfen?

C2 Was sagt die Chefin? Was antwortet die Assistentin?
Spielen Sie Gespräche.

bitte heute noch die Rechnung hier bezahlen
bitte den Computer anmachen
die E-Mail an die Firma Fischer bitte heute noch schreiben
bitte gleich bei „Söhnke & Co" anrufen
bitte gleich Kaffee machen
die Tür kurz mal zumachen
das Fenster bitte einen Moment aufmachen

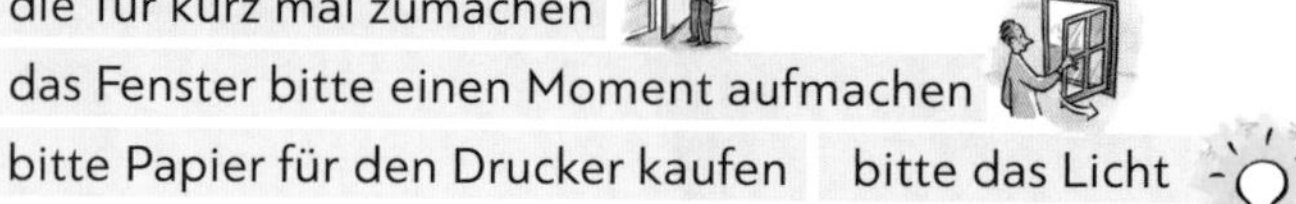

◆ Könnten Sie / Würden Sie bitte heute noch die Rechnung hier bezahlen?
○ Natürlich. / Ja, gern. / Nein, das geht leider gerade nicht. Ich muss erst ...

aufmachen
zumachen
anmachen
ausmachen

C3 Höfliche Bitten
Was sagen die Leute? Schreiben Sie zu jeder Situation zwei Sätze.

die Tür aufmachen | die Klimaanlage reparieren | ~~Hustensaft oder Tabletten empfehlen~~ | einen Tisch im Restaurant reservieren | ...

B
Sie sind im Hotel an der Rezeption.

C
Sie stehen vor Ihrem Hotelzimmer. Sie haben keinen Schlüssel.

D
Sie sind im Restaurant. Die Klimaanlage funktioniert nicht.

D Nachrichten am Telefon

D1 Heike Wegner arbeitet an der Rezeption im Hotel *Zur Post*.

a Sehen Sie das Foto an. Was ist mit Frau Wegner los?

b Lesen Sie die Nachrichten. Was soll Frau Wegner machen? Markieren Sie.

A E-Mail senden

Zimmer für Dr. Fischer

Sehr geehrte Frau Wegner,
bitte reservieren Sie ab Donnerstag, 14.07. ein Zimmer für drei Nächte für Frau Doktor Erika Fischer. Bitte ein Nichtraucherzimmer in besonders ruhiger Lage.

Mit freundlichen Grüßen
Martina Nutall

Assistentin
Institut für Analytische Chemie
Universität Leipzig

B E-Mail senden

Ankunft Reisegruppe FUN-TOURS

Liebe Frau Wegner,
unser Flug aus Köln hat leider Verspätung. Unsere Gruppe kommt erst um circa 22 Uhr an. Wir haben mit Abendessen gebucht. Bitte servieren Sie für 12 Personen etwas Kaltes. Wäre das möglich?

Vielen Dank und beste Grüße
Gisela Lorenz

FUN-TOURS
Tour-Begleiterin
------- von meinem X-Phone gesendet -------

C

Hallo Heike, Herr Junghans (Zimmer 102) findet seine Kreditkarte nicht mehr. Sag bitte den Zimmermädchen Bescheid. Sie sollen noch mal gründlich suchen. Vielleicht finden sie die Karte. Wenn nicht, bezahlt Herr Junghans seine Rechnung per Banküberweisung. Gruß Axel

4 ◀)) 41–43

D2 Frau Wegner spricht auf die Mailbox und macht Fehler.

Hören Sie die drei Nachrichten und notieren Sie. Sprechen Sie dann.

Nachricht	Frau Wegner sagt:	richtig ist:
1	Dienstag	Donnerstag
2		
3		

Frau Wegner reserviert ein Zimmer ab Dienstag. Sie soll das Zimmer aber ab Donnerstag reservieren.

D3 Sprechen Sie auf die Mailbox.

Sie möchten für morgen Abend um 20 Uhr einen Tisch für sechs Personen reservieren. Rufen Sie im Restaurant *Zur Post* an.

Sie haben ein Fahrrad gemietet. Jetzt ist es kaputt. Es steht am Bahnhofsplatz. Rufen Sie bei der Vermietungsfirma an.

Hier spricht/ist ...
Bitte rufen Sie zurück unter ...
Bitte rufen Sie uns/mich an.
Meine Nummer ist ...
Vielen Dank und auf Wiederhören!

SCHON FERTIG? Sprechen Sie Ihrer Partnerin / Ihrem Partner auf die Mailbox.

E Hilfe im Alltag

E1 Lesen Sie. Welcher Service passt? Ordnen Sie zu.

Anzeige

a Herr Berger fliegt oft ins Ausland. Er fährt mit dem Auto zum Flughafen und möchte Geld sparen. ○

b Herr und Frau Baumann sind oft unterwegs. Sie können ihre Wohnung nicht sauber machen. (1)

c Die Espressomaschine von Lena und Bert funktioniert nicht mehr. ○

d Eine schwedische Freundin braucht für die Universität Zeugnisse und Dokumente auf Deutsch. ○

e Die Freunde Henry, Flo und Paul bekommen um 22 Uhr Hunger und haben nichts im Kühlschrank. ○

Mr Cleaner Reinigung

Wir reinigen zu Ihrem Wunschtermin. Wählen Sie aus unserem großen Service-Angebot, z. B. Fensterreinigung zu Hause oder im Büro. Wir putzen alles aus Glas, auch Dachfenster und Wintergärten. Wir bringen das Reinigungsmaterial mit. Sie müssen nichts tun.

Jetzt gleich anrufen:
04 77 – 9 95 18

1

Übersetzungsbüro **Birgit Esser**

Seit 1984 sind wir für unsere Kunden da und geben unser Bestes. Wir haben auf der ganzen Welt Mitarbeiter. Unser Büro bietet Übersetzungen in vielen Sprachen an:

- west- und osteuropäische Sprachen
- skandinavische und südeuropäische Sprachen
- asiatische und arabische Sprachen

zum Kontaktformular

2

Pizza-auf-Rädern.de

Jetzt online bestellen!

Mo – Sa 10.30 bis 14.00 / 16.30 bis 22.45 Uhr
Sonntag und Feiertag: 11.00 bis 22.30 Uhr
Dienstag Ruhetag

Unsere Angebote

Mittagsangebote Mo – Fr von 10.30 bis 14.00 Uhr
- jede normale Pizza (28 cm) nur 5,00 Euro
- jede große Pizza (32 cm) nur 6,00 Euro
- jedes Nudelgericht nur 5,00 Euro

Donnerstag = Maxi-Pizza-Tag

3

Günstig parken am Flughafen Düsseldorf

Unser Parkservice bietet Ihnen besonders günstige Parkplätze ganz in der Nähe vom Flughafen. Und das an 365 Tagen im Jahr. Beginnen Sie Ihren Urlaub bei uns und buchen Sie gleich Ihren Parkplatz. Genießen Sie unseren stressfreien Transfer zu Ihrem Terminal.
Kontakt:
parkservice-duesseldorf@de-mail.com

4

Reparieren lohnt sich!

REPARATURSERVICE

Ihr Toaster ist kaputt? Wir **reinigen** und **reparieren** Ihr Elektrogerät mit Freude. Ersatzteile haben wir auf Lager.

Telefonische Beratung:
24 Stunden! 030-888 9 111

5

4 🔊 44 **E2 Anruf beim Reparaturservice. Wer sagt das? Kreuzen Sie an.**
Hören Sie dann und vergleichen Sie.

	Kunde	Service-Mitarbeiterin
a Was kann ich für Sie tun?	○	☒
b Könnte ich bitte den Reparaturservice sprechen?	○	○
c Ja, hier sind Sie richtig.	○	○
d Würden Sie mir das bitte erklären?	○	○
e Nichts zu danken.	○	○
f Wenn Sie noch Fragen haben, rufen Sie einfach noch mal an.	○	○

E3 Unser Kurs, unser Service!

a Welchen Service können Sie anbieten? Notieren Sie im Kurs.

- Kaffeeservice
- Hausaufgaben-Service
- Sportgruppe
- Snacks in der Mittagspause

…

b Wählen Sie ein Thema und bilden Sie Gruppen. Sprechen Sie.

Ich bin in der Sportgruppe. Ich finde, Sport machen und Deutsch lernen passt gut zusammen!

Ja, das ist super. Und wann … ?

c Machen Sie ein Plakat und zeigen Sie es im Kurs.

Wer? Jo, Julie, Leo, Maxim
Was? Sportgruppe
Warum? Sport und Spaß sind wichtig. Wir spielen Fußball und sprechen nur Deutsch.
Wann? jeden Montag nach dem Deutschkurs
Wo? im Park an der Schillerstraße
Was braucht Ihr?
Bringt Eure Sportschuhe und GUTE LAUNE mit. Einen Ball haben wir.

d Welchen Service finden Sie originell? Sprechen Sie im Kurs.

Grammatik und Kommunikation

Grammatik

1 Temporale Präpositionen: *vor, nach, bei, in* + Dativ ÜG 6.01

Wann?				Plural
vor	• dem Kurs	• dem Training	• der Arbeit	• den Hausaufgaben
nach	• dem Kurs	• dem Training	• der Arbeit	• den Hausaufgaben
bei	⚠ • beim Kurs	⚠ • beim Training	• der Arbeit	• den Hausaufgaben
in	• einem Monat	• einem Jahr	• einer Woche	• drei Jahren

Ihr Montag: Ergänzen Sie Ihre Termine und schreiben Sie Sätze mit *vor, bei* und *nach*.

Montag	
09.00	
10.00	
11.30	Zahnarzt
12.00	Mittagessen

Vor dem Mittagessen gehe ich zum Zahnarzt.

2 Temporale Präpositionen: *bis, ab* ÜG 6.01

Wie lange ...? Bis morgen / Montag / siebzehn Uhr / nächste Woche.
Ab wann ...? Ab morgen / Montag / siebzehn Uhr.

3 Höfliche Aufforderung: Konjunktiv II ÜG 5.17

	Position 2		Ende
Könnten	Sie	mir bitte	helfen?
Würden	Sie	mir bitte das Geld	zurückgeben?
Könntest	du	mir bitte	helfen?
Würdest	du	mir bitte das Geld	zurückgeben?

Kommunikation

REPARATURSERVICE: Was kann ich für Sie tun?

Was kann ich für Sie tun?	*Könnte ich bitte den Reparaturservice sprechen? ... funktioniert nicht / ist kaputt.*
Ja, hier sind Sie richtig.	
Was für ein Modell ist es? Bringen Sie das Gerät bitte vorbei.	*Ein ... Ich habe noch ... Monate Garantie.*
Kann bitte jemand nachsehen?	*Können Sie bitte bis heute Abend warten?*
Bis wann können Sie das Gerät reparieren?	*Kommen Sie in einer Stunde wieder. Dann ist das Gerät fertig.*
	Bis morgen. Sie können ... ab ... Uhr abholen.
	Wenn Sie noch Fragen haben, rufen Sie einfach noch mal an.

Sie rufen beim Reparaturservice an. Schreiben Sie ein Gespräch.

◇ Guten Tag. Mein Name ist ...
• Was kann ich für Sie tun?
◇ Mein ... funktioniert nicht
...

UM ETWAS BITTEN: Könnten Sie mir bitte helfen?

Könnten Sie mir bitte helfen?
Könnten Sie mir das bitte zeigen?
Würden Sie bitte heute noch die Rechnung bezahlen?
Würden Sie mir das bitte erklären?

Natürlich. / Ja, gern.
Nein, das geht leider gerade nicht. Ich muss erst ...
Nichts zu danken.

Bitten Sie ...
... Ihre Lehrerin:
Würden Sie
mir das bitte erklären?
... Ihren Chef:
______
______
... Ihren Arzt:
______
______
... einen Verkäufer:
______
______

AUF DIE MAILBOX SPRECHEN: Hier ist Oliver Schmitz.

Hier spricht/ist ...
Bitte rufen Sie zurück unter ...
Bitte rufen Sie uns/mich an.
Meine Nummer ist ...
Vielen Dank und auf Wiederhören!

Sie möchten noch mehr üben?

Lernziele

Ich kann jetzt ...

A ... Tagesabläufe beschreiben:
Vor der Mittagspause mache ich Reparaturen. ______ ☺ 😐 ☹

B ... Zeitangaben machen:
in einer Woche; ab heute; bis morgen ______ ☺ 😐 ☹

C ... im Alltag höflich um etwas bitten:
Könnten Sie mir helfen? Würden Sie bitte ...? ______ ☺ 😐 ☹

D ... Nachrichten und Ansagen am Telefon verstehen und Nachrichten hinterlassen: *Hier spricht ... Bitte rufen Sie mich zurück unter ...* ______ ☺ 😐 ☹

E ... Service-Anzeigen verstehen und bei einem Reparaturservice um Hilfe bitten: *Könnte ich bitte den Reparaturservice sprechen?* ______ ☺ 😐 ☹

Ich kenne jetzt ...

5 Wörter zum Thema *Reparaturservice*:
die Garantie, ...
______

5 Wörter zum Thema *Dienstleistung*:
die Übersetzung, ...
______

SPIEL

Geschäftsideen

Eine Dienstleistung? Ein Laden?
Ein Geschäft? Was kann ich anbieten? ...
Jeder ist anders, jeder kann etwas.
Genau darum geht es in diesem Spiel.

1 Ihre Geschäftsidee. Arbeiten Sie zu dritt.
Was können Sie?
Jede/r schreibt einen Zettel für sich.

Mein Name: Alfonso Díaz
Meine Hobbys sind:
Fußball spielen, Basketball spielen
Das kann ich (sehr) gut: Computer reparieren, Drinks mixen, zuhören
Meine Geschäftsidee:
Bar oder Klub nur für Sportfans

2 Was können die anderen? Was meinen Sie? Schreiben Sie Zettel für die beiden anderen in Ihrer Gruppe.

Name: Tilda; Hobbys: backen, ...
kann (sehr) gut:
mit Menschen sprechen, ...
Geschäftsidee: ...

3 Vergleichen Sie jetzt alle Zettel. Zu wem passt welche Geschäftsidee am besten? Entscheiden Sie in der Gruppe.

FILM

Reise durch Deutschland, Österreich und die Schweiz

Sehen Sie den Film und verbinden Sie die Reiseziele.

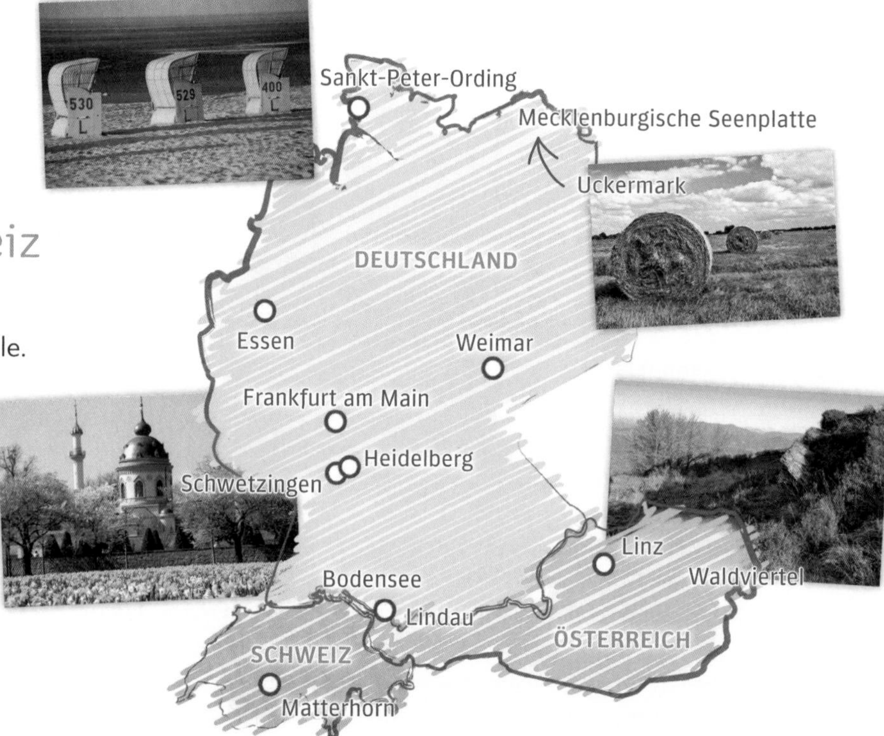

LANDESKUNDE

König Ludwig II. und seine Schlösser

1 Kennen Sie das Schloss Neuschwanstein?
Was wissen Sie über das Schloss und König Ludwig II.?
Sprechen Sie im Kurs.

Romantik-Hotel „König Ludwig“: Nach dem Ausflug ist vor der Entspannung

Sehen und erleben Sie:

Schloss Hohenschwangau

Hier hat König Ludwig II. als Kind gelebt.

Schloss Neuschwanstein

Es ist DAS Traumschloss von König Ludwig II., ein Märchenschloss.

Wunderschöne Landschaft

Unsere bayerischen Berge: Einmal kommen und sie sehen und nie wieder vergessen!

Und das erwartet Sie:

*Bei Ihrer Ankunft am **Freitagnachmittag** begrüßen wir Sie mit einem Willkommensgetränk und einem Rundgang durch unser Hotel.*

*Am **Samstag** starten wir nach dem Frühstück zum Schloss Neuschwanstein. Nach der Schlossführung bringen wir Sie zu unserem herrlichen privaten Badegelände am Forggensee (mit Picknick). Zurück im Hotel haben Sie vor dem Abendessen dann noch Zeit für ein königliches Bad mit Rosenblüten. Beim romantischen König-Ludwig-Menü bei Kerzenlicht servieren wir Ihnen Spezialitäten aus unserer Küche.*
*Am **Sonntag** steht unser Frühstücksbrunch bis 13 Uhr für Sie bereit.*

Unser Top-Romantik-Ausflugsangebot:

Schloss Neuschwanstein

€ 190,– pro Person

- zwei Übernachtungen inklusive Frühstück
- zwei Tickets für das Schloss Neuschwanstein
- ein königliches Bad *(mit Rosenblüten)*
- König-Ludwig-Menü *(4 Gänge)*
- privater Badestrand plus Picknick-Paket *(nur bei schönem Wetter)*

2 Lesen Sie den Hotel-Prospekt.
a Was gefällt Ihnen besonders gut? Notieren Sie drei Dinge.
b Vergleichen Sie im Kurs:
Wer hat das Gleiche notiert wie Sie?

Ich habe „Picknick“ notiert. Ich möchte gern einmal ein Picknick am See machen.

Ich auch!

Neue Kleider

1 Sehen Sie die Fotos an. Was meinen Sie? Kreuzen Sie an.

a Wem ist kalt?
Foto 1 ○ Lara ○ Tim
Foto 2 ○ Lara ○ Tim ○ Ioanna

b Fotos 3–6 Wo sind Lara, Tim und Ioanna? Was machen sie?
Sie sind in einem ○ Kaufhaus. ○ Supermarkt.
Sie kaufen eine Jacke  für ○ Lara. ○ Tim.

5 1–8

2 Was meinen Sie? Welches Foto passt? Ordnen Sie zu. Hören Sie dann und vergleichen Sie.

Foto
a ◯ Ich weiß nicht. Die ist doch zu groß!
b ◯ Ist das nicht Tims Jacke? Hast du denn keine?
c ◯ Sieh mal, Lara! Die Jacke da! Die ist super!
d ◯ ◆ Na, was sagt ihr jetzt? Ist der nicht toll?
● Ein Mantel.  Na ja, …

Foto
e ◯ ◆ Nimm doch so eine Regenjacke.
● Ist die nicht zu dünn?
f ◯ ◆ Was meinst du, Ioanna?
● Nein, die Farbe passt gar nicht zu dir.
g ◯ Ist das kalt heute Morgen!
h ◯ Wo bleibt Lara eigentlich?

5 1–8 **3 Lesen Sie und ergänzen Sie. Hören Sie dann noch einmal und vergleichen Sie.**

Lara, Tim und Ioanna fahren am .... in die Stadt.
Sie wollen eine .... für Lara ....
Ioanna findet eine Jacke für Lara. Lara sagt: Die Jacke ist zu *weit* !
Auch Tim findet eine Jacke für Lara. Aber Lara findet die Jacke nicht schön. Zum Schluss kauft Lara allein einen blauen ....

Laras Film

4 Ihr Lieblingskleidungsstück

Zeigen Sie ein Foto. Sprechen Sie mit Ihrer Partnerin / Ihrem Partner.

◆ Das ist meine Lieblingsjacke.
○ Sie sieht toll aus. Die Farbe ist schön!

A Sieh mal, Lara, **die Jacke** da! **Die** ist super!

A1 Laras Kleidung

Wie heißen die Kleidungsstücke? Ordnen Sie zu.

(J) • die Bluse	( ) • die Jacke
( ) • das T-Shirt	( ) • die Schuhe
(G) • die Hose	( ) • der Rock
( ) • der Mantel	( ) • das Kleid
( ) • die Stiefel	( ) • der Gürtel
( ) • der Pullover	( ) • die Socke / • der Strumpf
( ) •/• die Jeans	
( ) • das Tuch	

5 9–10 A2 Lara beim Einkaufen. Hören Sie und ergänzen Sie.

1

◆ Sieh mal, die Jacke da! _Die_ ist super!
○ Ja, ______ ist wirklich schön! Und das Hemd hier, ______ ist auch super! Und der Anzug hier! ______ gefällt Tim sicher! Und die Sonnenbrille auch!
◆ Ja, ______ ist nicht schlecht! Und sieh mal, der Gürtel! ______ ist ja toll!
○ Aber die Schuhe da, ______ sind nicht so schön, oder?
◆ Ja, ______ sind langweilig und auch zu teuer!

2

◆ Wie findest du den Schirm?
○ ______ finde ich sehr schön.
◆ Und das Kleid?
○ Hm ..., ______ finde ich hässlich. Aber die Tasche! ______ finde ich super und auch günstig.
◆ Ja, stimmt! Und die Stiefel?
○ ______ finde ich auch toll!

Demonstrativpronomen		
	Nominativ	
• der Gürtel	→ Der	ist schön.
• das Hemd	→ Das	
• die Jacke	→ Die	
• die Schuhe	→ Die	sind schön.

Demonstrativpronomen		
	Akkusativ	
• den Schirm	→ Den	finde ich super.
• das Kleid	→ Das	
• die Tasche	→ Die	
• die Stiefel	→ Die	

A3 Wie finden Sie das? Sehen Sie die Fotos in A2 an und sprechen Sie.

Wie findest du den Anzug?

Den finde ich sehr schön. Und sieh mal ...

B Die Jacke passt **dir** perfekt.

5 🔊 11 **B1 Was sagt Ioanna, was sagt Tim?**
Verbinden Sie. Hören Sie dann und vergleichen Sie.

Toll, die Jacke passt dir perfekt!
Ich weiß nicht. Die ist doch zu groß.
Ioanna
Tim
Mir gefällt sie nicht.
Also, mir gefällt sie sehr gut.

5 🔊 12–13 **B2 Wie gefällt dir …?**

a Hören Sie. Worüber sprechen die beiden Frauen? Kreuzen Sie an.

Susanne Jan

Verben mit Dativ und Personalpronomen		
		Dativ
		mir.
		dir.
• Die Jacke	gefällt/passt	ihm/ihr.
• Die Jacken	gefallen/passen	uns.
		euch.
		ihnen/Ihnen.

Sie sprechen über …
1 Susannes ○ T-Shirt. ○ Haare. ○ Stiefel. ○ Brille. ○ Rock.
2 Jans ○ Mantel. ○ Hemd. ○ Hose. ○ Schuhe.

b Ergänzen Sie. Hören Sie dann noch einmal und vergleichen Sie.

ihr ~~dir~~ Mir ihm dir ihm

1
◆ Hast du Susannes Haare gesehen? Also, mir gefallen die nicht so gut, und dir?
○ .... gefallen die auch nicht. Aber die Brille sieht toll aus. Die steht .... richtig gut!
◆ Ich weiß nicht. Die ist doch viel zu groß!

2
◆ Wie gefällt .... denn Jans Mantel?
○ Super! Der steht .... richtig gut! Und wie findest du die Hose?
◆ Hm, die passt .... nicht richtig, finde ich.

B3 Im Kurs: Machen Sie Komplimente.

Mir gefällt Ihr Pullover. Der steht Ihnen sehr gut!
Deine Schuhe gefallen mir sehr gut. Die Farbe ist auch sehr schön!
Oh, danke!

Der Pullover / Das Hemd / Die Hose steht/passt dir/Ihnen sehr gut.
Die Schuhe gefallen mir sehr gut.

B4 Sprechen Sie.

a Was wissen Sie über Deutschland? Sammeln Sie und machen Sie eine Mindmap.

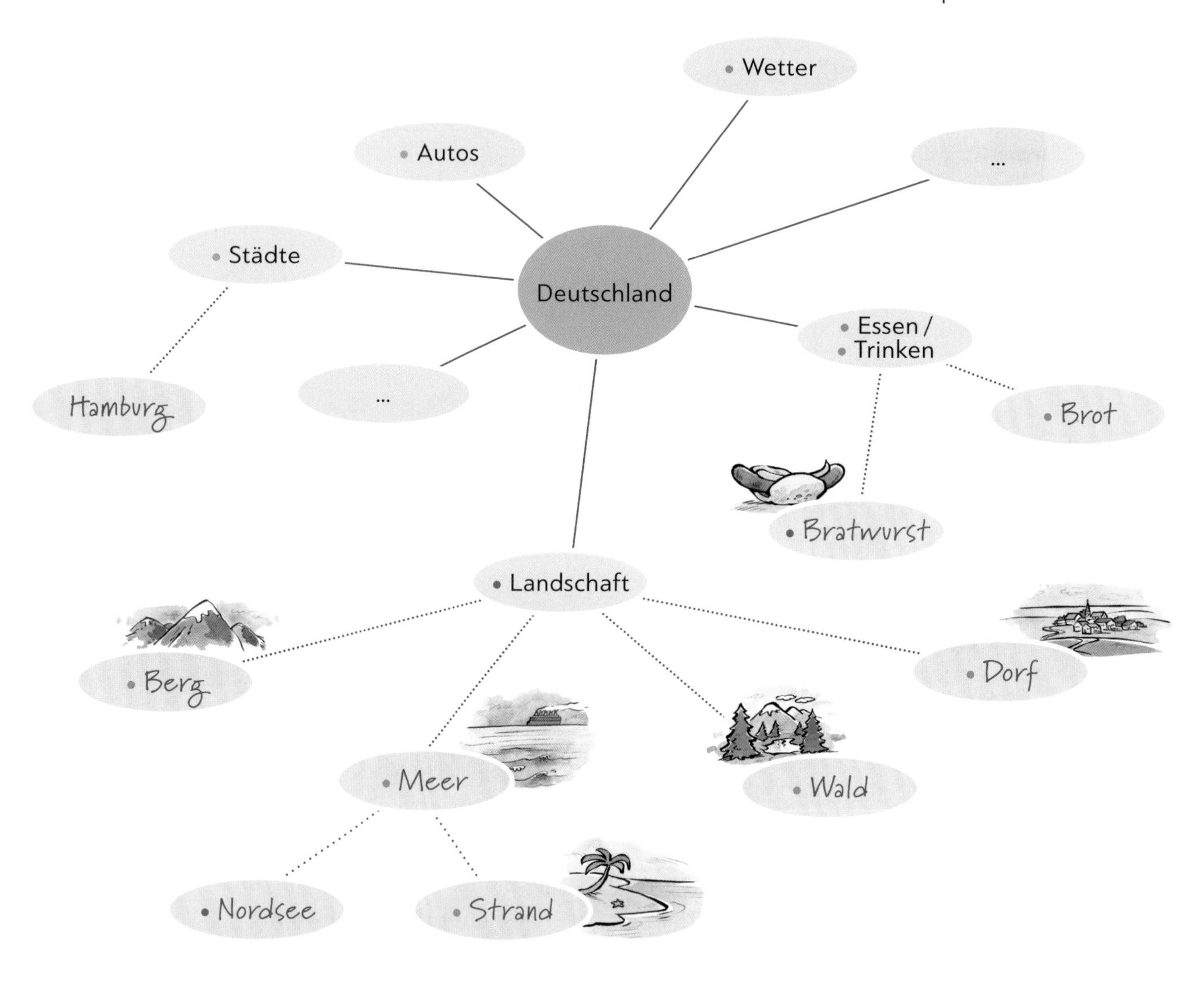

b Was gefällt Ihnen (nicht)? Was schmeckt Ihnen (nicht)? Sprechen Sie über Ihre Mindmap.

1

◆ Hamburg gefällt mir nicht. Und dir?
○ Mir auch nicht. Da ist es so kalt.
▲ Mir schon. Mir gefallen das Meer und der Hafen.
□ Ich war noch nie in Hamburg.

2

◆ Also, Bratwurst schmeckt mir nicht.
○ Mir schon. Die ist doch lecker.
▲ Ich habe noch nie Bratwurst gegessen.

Mir gefällt/schmeckt ... Und dir/Ihnen?	*Mir auch. / Mir nicht.*
Mir gefallen/schmecken ...	*Ich war noch nie ... / habe noch nie ...*
Mir gefällt/schmeckt ... nicht.	*Mir schon. / Mir auch nicht.*

SCHON FERTIG? Was ist Ihre Lieblingsstadt? Schreiben Sie einen Text.

C Und hier: Die ist noch **besser**.

5 🔊 14 **C1 Ergänzen Sie. Hören Sie dann und vergleichen Sie.**

am besten ~~gut~~ besser

Positiv	Komparativ	Superlativ
☺	☺☺	☺☺☺
gut	besser	am besten

◆ Wir haben super Jacken gefunden.
○ Ja, genau!
◆ Hier, die ist doch richtig gut, oder?
○ Und hier, die ist noch ....
▲ Ja, das kann schon sein. Aber mein Mantel, der steht mir .... !

C2 Kleidung – im Beruf und in der Freizeit

a Sehen Sie die Fotos an.
Welche Arbeitskleidung gefällt Ihnen (nicht so) gut?

Mir gefällt Carolas Arbeitskleidung gut. Der Rock steht ihr gut, aber die Farbe ...

b Lesen Sie und ergänzen Sie.

Carola Peters

Ich heiße Carola Peters und bin Stewardess von Beruf. Zu meiner Uniform gehören zwei Röcke und eine Hose und es gibt auch noch ein Kleid. Das Kleid ziehe ich nicht so gern an. Ich mag die Röcke lieber. Am liebsten trage ich aber die Hose. In meiner Freizeit ist mir Mode sehr wichtig. Meine Kleidung kaufe ich gern im Ausland. In New York sind die Kleidergeschäfte am besten.

José Faria Duarte

Mein Name ist José Faria Duarte, ich bin Model von Beruf. Bei der Arbeit trage ich immer Designerkleidung. Die ist wirklich wunderschön und ich trage sie gern. Aber in meiner Freizeit trage ich lieber Jeans. Zu Hause trage ich am liebsten meine Jogginghose. Ich bin in meiner Freizeit gern zu Hause. Dann lese ich viel und telefoniere noch mehr. Am meisten sehe ich aber fern: Ich liebe Filmabende, am liebsten zusammen mit Freunden.

1 Was trägt Carola nicht so gern? das Kleid | lieber? .... | am liebsten? ....

2 Was trägt José gern? .... | lieber? .... | am liebsten? ....

3 Was macht José viel? .... | mehr? .... | am meisten? ....

Positiv	Komparativ	Superlativ
☺	☺☺	☺☺☺
gern	lieber	am liebsten
viel	mehr	am meisten

C3 Wer ist das?

Notieren Sie auf einen Zettel: Was essen Sie gern/lieber/... ? Was können Sie gut/besser... ? Was machen Sie in der Freizeit viel/mehr/... ? Sammeln Sie die Zettel und lesen Sie sie vor. Die anderen raten: Wer ist das?

Ich esse gern Würstchen. Aber noch lieber esse ich Pommes frites. Am liebsten esse ich Spaghetti.

D **Welche** meinst du? – Na, **diese**.

5 🔊 15 **D1 Was sagen Ioanna und Tim? Hören Sie und ordnen Sie das Gespräch.**

◯ ◆ Soll das ein Witz sein? Die ist ja total langweilig.
◯ ○ Na, diese.
◯ ◆ Welche denn? Welche meinst du?
① ○ Da, sieh mal! Die Jacke gefällt ihr sicher.

Frageartikel und Demonstrativpronomen			
Nominativ			
• Welcher Mantel	gefällt	dir/ihr/...?	Dieser.
• Welches Hemd			Dieses.
• Welche Jacke			Diese.
• Welche Schuhe	gefallen		Diese.

D2 Was gehört wem?

a Sehen Sie die Fotos an, zeigen Sie und sprechen Sie mit Ihrer Partnerin / Ihrem Partner.

Malte, 27, *Sportlehrer*

Anika, 21, *studiert Wirtschaft*

Raha, 23, *studiert Physik*

Mario, 25, *Kindergärtner*

◆ Was meinst du: Welcher Koffer gehört Mario?
○ Ich glaube, dieser da.
Und wem gehört dieser Koffer?
◆ Ich denke, dieser hier gehört Anika.
○ Nein, das glaube ich nicht.
Dieser hier gehört ihr.

b Welche Sachen in a finden Sie schön?

◆ Welchen Koffer findest du schön?
○ Diesen hier. Und du?
◆ Ich finde diesen hier toll.

Frageartikel und Demonstrativpronomen		
Akkusativ		
• Welchen Koffer	findest du schön?	Diesen.
• Welches Fahrrad		Dieses.
• Welche Tasche		Diese.
• Welche Schuhe		Diese.

D3 Schreiben Sie fünf Fragen und fragen Sie Ihre Partnerin / Ihren Partner.

Welchen Wochentag magst du am liebsten?
Welches Buch magst du am liebsten?
Welche Musik magst du gern?
Welcher Film gefällt dir? ...

ich	mag
du	magst
er/sie	mag

E1 Viele Fragen an der Information: *Entschuldigung, wo gibt es ...?*

Wesergalerie		
UNTERGESCHOSS AUSGANG U-BAHN	ERDGESCHOSS	OBERGESCHOSS
Sport	Drogerie / Kosmetik	Herrenmode
Fahrräder	Uhren und Schmuck	Kindermode
Elektrogeräte	Bücher/Zeitschriften/ Schreibwaren	Damen-, Herren- und Kinderschuhe
Lampen	Taschen	Spielwaren
Glas und Geschirr	Damenmode	Bad & Wellness
Bettwaren	Young Fashion Damen	Eingang Weser-Restaurant

a Was antwortet die Frau an der Information? Notieren Sie Antworten.

1. Entschuldigen Sie bitte, ich suche Stiefel. Wo gibt es die? Wissen Sie das vielleicht?
2. Entschuldigung. Ich brauche Papier für meinen Drucker.
3. Ich möchte ein Spiel für meine Tochter kaufen. Wo finde ich das?
4. Wo gibt es Fußbälle? Wissen Sie das?
5. Ich finde die Kinderkleidung nicht.

1 Da müssen Sie ins Obergeschoss gehen.

Da müssen Sie ins Obergeschoss/... gehen.
Das/Die finden Sie / sind / gibt es im ...

b Was brauchen Sie und wo finden Sie das? Sprechen Sie mit Ihrer Partnerin / Ihrem Partner.

◆ Ich brauche eine Bluse. Wo gibt es denn hier Blusen? Weißt du das?
○ Ja, im Erdgeschoss. Ich muss auch noch Seife, eine Zahnbürste und Zahnpasta kaufen. Wo finde ich die? ...

5 🔊 16 E2 Lesen Sie und hören Sie dann. Welche Fragen stellt der Kunde? Markieren Sie.

Entschuldigung, können Sie mir bitte helfen? | Ist diese Hose nicht zu klein? | Haben Sie die Hose auch in Größe 52? | Welchen Pullover soll ich anziehen? | Haben Sie den Pullover auch in Rot? | Ist die Größe so richtig? | Was kostet denn dieser Pullover? | Wo ist denn die Kasse, bitte?

E3 Was sagen Sie im Kaufhaus? Hilfe finden Sie in E2.

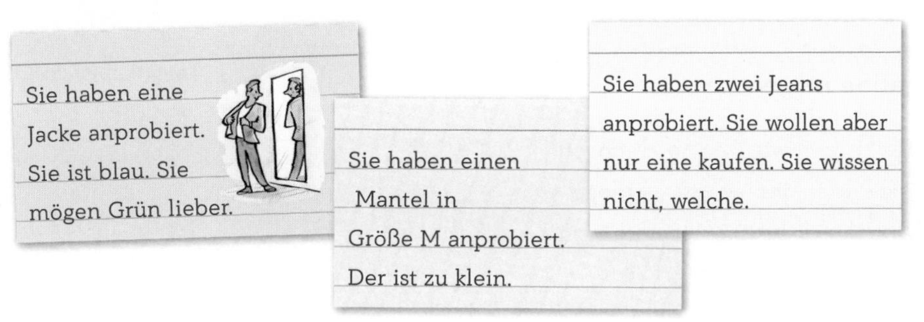

Grammatik

1 Demonstrativpronomen: *der, das, die* ÜG 3.04

	Nominativ		Akkusativ	
• der Gürtel	Der	ist schön.	Den	finde ich super.
• das Hemd	Das		Das	
• die Jacke	Die		Die	
• die Schuhe	Die	sind schön.	Die	

2 Frageartikel: *welcher?* – Demonstrativpronomen: *dieser* ÜG 3.04

Nominativ		Akkusativ	
• Welcher Mantel ...?	Dieser.	• Welchen Mantel ...?	Diesen.
• Welches Hemd ...?	Dieses.	• Welches Hemd ...?	Dieses.
• Welche Jacke ...?	Diese.	• Welche Jacke ...?	Diese.
• Welche Schuhe ...?	Diese.	• Welche Schuhe ...?	Diese.

Schreiben Sie Antworten wie im Beispiel.

a Gehört euch die Tasche?
b Gefällt euch das Fahrrad?
c Schmeckt dir der Käse?
d Steht mir das Kleid?
e Gefällt Eva der Schirm?
f Schmeckt Jakob die Bratwurst?

a Ja, die gehört uns.

3 Personalpronomen im Dativ ÜG 3.01

Nominativ	Dativ	Nominativ	Dativ
ich	mir	wir	uns
du	dir	ihr	euch
er/es	ihm	sie/Sie	ihnen/Ihnen
sie	ihr		

TIPP

Lernen Sie diese fünf Verben mit Dativ auswendig:
gefallen – gehören – passen – stehen – schmecken

4 Verben mit Dativ ÜG 5.21

Der Mantel	gefällt	mir.
Das Hemd	steht	dir.

auch so: gehören, passen, schmecken

5 Komparation: *gut, gern, viel* ÜG 4.04

Positiv ☺	Komparativ ☺☺	Superlativ ☺☺☺
gut	besser	am besten
gern	lieber	am liebsten
viel	mehr	am meisten

Schreiben Sie.
Wer in Ihrer Familie / von Ihren Freunden isst viel, wer mehr, wer am meisten?

Meine Mutter isst nicht viel, aber mein Vater! Noch mehr isst mein Bruder. Und am meisten esse ich ☺!

6 Verb: Konjugation *mögen*

ich	**mag**	wir	mögen
du	magst	ihr	mögt
er/es/sie	**mag**	sie/Sie	mögen

Kommunikation

ETWAS BEWERTEN: Die Jacke passt dir perfekt.

Die Jacke ist (sehr) schön / super / toll / (sehr) günstig / nicht schlecht.
Die Schuhe sind (total) hässlich / langweilig / nicht (so) schön / (zu) teuer / ...

Der Pullover gefällt/passt/steht mir/dir/Ihnen/... (richtig) gut.
Die Schuhe / ... gefallen/passen/... mir/dir/Ihnen/... sehr gut.

VORLIEBEN: Mir gefällt das Hemd.

Mir gefällt/schmeckt ... (nicht) | Mir gefallen/schmecken ...
Mir gefällt / Ich finde ... gut / besser / am besten.
Ich mag/esse ... gern / lieber / am liebsten.

Und dir/Ihnen?	*Mir auch. / Mir nicht.* *Mir schon. / Mir auch nicht.*
Wie findest du den/das/die ...? *Wie gefällt dir ...?* *Ja, stimmt.*	*Den/Das/Die finde ich ...*
Welchen Koffer / Welches Fahrrad / Welche Tasche findest du schön?	*Diesen. / Dieses. / Diese.*

AN DER INFORMATION: Entschuldigen Sie bitte, ich suche Stiefel.

Entschuldigen Sie bitte, ich suche Stiefel. Wo gibt es die?
Wissen Sie das vielleicht? | Wo finde ich ...? | Ich finde ... nicht.

Da müssen Sie ins Obergeschoss/... gehen. | Die finden Sie / sind / gibt es im ...

KLEIDUNG KAUFEN: Haben Sie die Hose auch in Größe 52?

Ist diese Hose nicht (viel) zu klein / zu lang / ...? | Haben Sie den Pullover / die Hose auch in Größe ... / in Rot? | Ist die Größe so richtig? | Was kostet denn ...? | Wo ist denn die Kasse, bitte?

Suchen Sie Fotos oder Bilder in den Lektionen. Wie finden Sie die Sachen/Leute? Schreiben Sie.

Das Meer finde ich toll! ....

....

....

....

Sie möchten noch mehr üben?

5 | 17–19 AUDIO-TRAINING

VIDEO-TRAINING

Lernziele

Ich kann jetzt ...

A ... Kleidungsstücke benennen und sagen: Das gefällt mir (nicht):
Die Jacke da! Die ist super! .... ☺ 😐 ☹

B ... sagen: Das gefällt/schmeckt mir (nicht):
Deine Schuhe gefallen mir sehr gut. .... ☺ 😐 ☹

C ... über Vorlieben sprechen und etwas bewerten:
Am liebsten trage ich die Hose. .... ☺ 😐 ☹

D ... Gegenstände auswählen:
Welchen Koffer findest du schön? – Diesen hier. .... ☺ 😐 ☹

E ... mich im Kaufhaus orientieren und um Hilfe oder Rat bitten:
Entschuldigen Sie bitte, ich suche Stiefel. Wo gibt es die? .... ☺ 😐 ☹

Ich kenne jetzt ...

10 Kleidungsstücke:

der Mantel, ...

....

....

5 Gegenstände:

der Schirm, ...

....

HÖREN

Männer mögen Mode

5 20–23 **1** Über wen sprechen die beiden Frauen? Hören Sie und ordnen Sie zu.

Gespräch	1	2	3	4
Mann	D			

2 Männermode: Welches Model bekommt in Ihrem Kurs die meisten Punkte? Jeder darf einen Plus- und einen Minuspunkt vergeben.

	Model A	Model B	Model C	Model D
Pluspunkte	𝍸			
Minuspunkte	IIII			
Endergebnis	+1			

SPIEL

Ich packe meinen Koffer ...

Kettenspiel: Was nehmen Sie in den Urlaub mit? Sprechen Sie der Reihe nach.

Ich nehme einen Rock mit.

Ich nehme einen Rock und eine Sonnenbrille mit.

Ich nehme einen Rock, eine Sonnenbrille und einen/ein/eine ... mit.

GEDICHT

Lesen Sie die „Elfchengedichte“. Schreiben Sie dann selbst zwei Gedichte.
So schreibt man „Elfchengedichte“:

1. Zeile (1 Wort): ....
2. Zeile (2 Wörter): ....
3. Zeile (3 Wörter): ....
4. Zeile (4 Wörter): ....
5. Zeile (1 Wort): ....

1 Sehen Sie die Fotos an.

a Was meinen Sie? Sprechen Sie.

– Wer hat Geburtstag?
– Wer schenkt die Hausschuhe?
– Wer schenkt den Hula-Hoop-Reifen?
– Foto 5 Warum sehen alle traurig aus?
– Foto 7 Was erzählt Tim?

5 🔊 24–31 b Hören Sie dann und vergleichen Sie.

5 🔊 28–31 **2 Was ist richtig? Hören Sie noch einmal und kreuzen Sie an.**

a Die Freunde feiern heute nicht nur Geburtstag. Sie feiern auch
○ Abschied: Lara und Tim fahren bald nach Hause. ○ Sofias neue Arbeitsstelle.

b Für Walter ist Lara wie eine ○ Schwester. ○ Tochter.

c Tim ○ beginnt eine Ausbildung in Kanada. ○ arbeitet bald in einem Hotel in Deutschland.

3 Geburtstagswünsche. Was sagt man? Markieren Sie.

Laras Film

Ich wünsche dir viel Glück und Freude! | Vielen Dank. | Alles Liebe/Gute zum Geburtstag! | Ich wünsche dir vor allem Gesundheit. | Gute Besserung. | Alles Gute! | Gut gemacht! | Herzlichen Glückwunsch! | (Ich) Gratuliere!

4 Ende gut, alles gut

Was machen Sie nach dem Deutschkurs? Wissen Sie das schon? Erzählen Sie.

Ich mache noch einen Deutschkurs.

Ich mache eine Pause und besuche Freunde in der Schweiz.

A Am **fünfzehnten** Januar fange ich an.

5 🔊 32 **A1 Was ist richtig? Verbinden Sie. Hören Sie dann und vergleichen Sie.**

a Heute — fängt Tim mit der Arbeit an.
b Nächste Woche — ist Walters Geburtstag.
c Am dreißigsten November — endet der Deutschkurs.
d Am fünfzehnten Januar — fährt Lara nach Hause.

Wann? (Ordinalzahlen)		
1.–19.	**-ten**: am ersten, zweiten, dritten, vierten, fünften, sechsten, siebten ...	Januar
ab 20.	**-sten**: am zwanzigsten, einundzwanzigsten ...	Januar

A2 Notieren Sie Ihren Geburtstag und machen Sie eine Geburtstagsschlange.

◆ Wann hast du Geburtstag?
○ Am 13. März. Und du?
◆ Ich habe am 4. Januar Geburtstag.
□ Ich bin am 19. Januar geboren.
▲ Und ich habe am 11. Februar Geburtstag.

Januar Februar März	Juli August September
April Mai Juni	Oktober November Dezember

A3 Fest- und Feiertage: Lesen Sie die Texte. Was ist richtig? Kreuzen Sie an.

A ○ Am 14. Februar soll man Blumen kaufen.
B ○ Der Karneval dauert bis zum 12. Februar.
C ○ Der erste Mai ist in Deutschland kein Arbeitstag.

der erste, zweite, dritte ... Mai
vom zwölften bis (zum) siebzehnten Februar

A

Karneval – HIER FINDEN SIE ALLE INFOS UND VERANSTALTUNGEN ZUR FÜNFTEN JAHRESZEIT IN MAINZ!
Die letzten sechs Karnevalstage sind in diesem Jahr vom 12. Februar bis zum 17. Februar.

B

UMFRAGE
Der erste Mai heißt auch „Tag der Arbeit". Aber wir müssen nicht arbeiten. Machen Sie mit und schreiben Sie:
Was machen Sie an diesem Feiertag?

C

A4 Kennen Sie den Valentinstag, den Karneval oder den ersten Mai? Was machen Sie dann? Erzählen Sie.

Ich mag den Valentinstag. Ich schreibe dann immer Grußkarten an meine Freunde.

B Ich habe **dich** sehr lieb, Opa.

33–34 **B1 Hören Sie und ordnen Sie zu.**

uns | mich | ~~dich~~ | dich

1
◆ Ich habe *dich* sehr lieb, Opa.
○ Ich .... auch.

2
○ Für .... gehörst du nun zur Familie.
Du bist wie eine zweite Tochter für ....
▲ Ach, Walter, das ist so lieb.

Lili: „Ich habe dich sehr lieb, Opa."

Personalpronomen	Akkusativ
ich	mich
du	dich
er/es/sie	ihn/es/sie
wir	uns
ihr	euch
sie/Sie	sie/Sie

für mich
für dich

B2 Ergänzen Sie die Nachrichten.

1

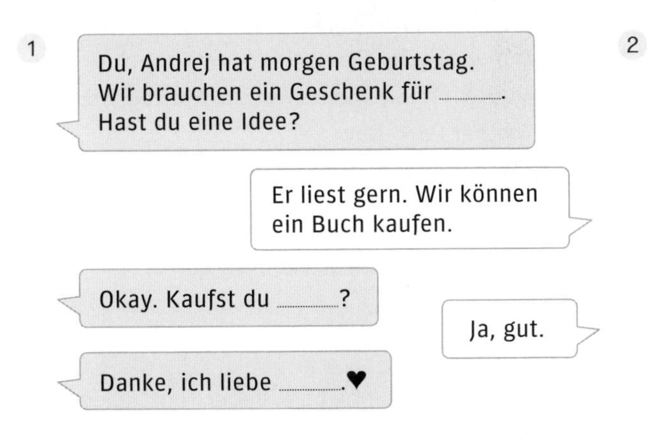

2

Hallo Rike, wann besuchst du .... mal wieder?

Hallo Mama, hallo Papa, ich besuche .... am Sonntag. Okay?

Prima. Deine Schwester kommt auch.

Wirklich? Wunderbar! Ich habe .... schon seit Wochen nicht gesehen.

B3 Alles schon erledigt! Spielen Sie Gespräche.

◆ Du, ich muss noch den Tisch decken.
○ Ich habe ihn schon gedeckt.
◆ Oh, super! Aber wir müssen noch ...

• die Getränke kaufen | • die Pizza backen | • den Salat machen | • den Nachtisch machen | • das Bad putzen | ...

B4 Um Hilfe bitten

a Notieren Sie mit Ihrer Partnerin / Ihrem Partner zwei „Probleme" und Bitten auf Kärtchen.

Mein Laptop ist kaputt.
→ bitte reparieren?

Meine Bluse ist schmutzig.
→ bitte waschen ?

b Nehmen Sie ein Kärtchen. Gehen Sie im Kursraum herum. Bitten Sie um Hilfe. Tauschen Sie dann Ihr Kärtchen. Suchen Sie eine neue Partnerin / einen neuen Partner.

Mein Laptop ist kaputt. Kannst du ihn bitte reparieren?

Nein, leider nicht. Meine Bluse. ...

C Wir feiern Abschied, **denn** ...

5 🔊 35 **C1 Was ist richtig? Wissen Sie es noch? Kreuzen Sie an.**
Hören Sie dann und vergleichen Sie.

a Familie Baumann, Lara und Tim feiern Abschied,
- ○ denn Lara und Tim fahren nach dem Deutschkurs nach Hause.
- ○ denn Lara muss ihre kranke Großmutter besuchen.

b Tim kommt bald zurück nach Deutschland,
- ○ denn er beginnt eine Ausbildung.
- ○ denn er hat eine Stelle gefunden.

Konjunktion *denn*

Sie feiern Abschied. Lara und Tim fahren nach Hause.

Sie feiern Abschied, denn Lara und Tim fahren nach Hause.

C2 Lara und Tim organisieren eine Abschiedsfeier.

a Wer kommt?
Kreuzen Sie an.

- ○ Ioanna
- ○ Frau Richter
- ○ Eduardo
- ○ Sibel
- ○ Pawel

Liebe Kurskolleginnen und Kurskollegen, liebe Frau Richter!
Nächste Woche endet der Deutschkurs. Wir möchten das gern zusammen mit Euch feiern. Und zwar am Freitag, 28. November, ab 18.30 Uhr in der Park-Bar.
Gebt bitte Bescheid bis 25. November.
Lara und Tim

Ioanna: Super Idee. Ich komme gern!

Maria Richter: Liebe Lara, lieber Tim! Vielen Dank für die Einladung. Leider kann ich nicht kommen, denn ich habe am Abend noch einen Kurs.

Eduardo: Ich kann leider nicht mitkommen.
Mein Flug nach Hause geht schon am Freitagmittag.
Schade!

Sibel: Tut mir leid, aber ich habe keine Zeit.
Ich bin Ärztin in einem Krankenhaus und am Freitag muss ich arbeiten.

Pawel: Danke für die Einladung! Ich bin dabei.
Bis morgen im Kurs.

b Warum kommen die Personen nicht? Markieren Sie in a und schreiben Sie.

1 *Frau Richter* kommt nicht, denn sie ....
2 .... kommt nicht, denn sein ....
3 .... kommt nicht, denn sie ....

C3 Warum können Sie nicht zur Abschiedsfeier kommen?
Überlegen Sie einen Grund und schreiben Sie eine Nachricht an Lara und Tim.
Tauschen Sie die Nachricht dann mit Ihrer Partnerin / Ihrem Partner. Sie/Er korrigiert.

D1 Lesen Sie und ordnen Sie zu.

◯ Weihnachtsfeier (A) Geburtstag ◯ Grillfest

A

Liebe Vanessa,

am Donnerstag werde ich **30**!
Das müssen wir feiern.
Ich lade Dich zu meiner Party ein.

Kannst Du kommen?
Ich würde mich freuen.
Viele Grüße
Lisa

Wann: Samstag, 19. August, ab 19 Uhr

Wo: Bei mir zu Hause

Mitbringen: gute Laune

ich	werde	
du	wirst	30
er/sie	wird	

B

Liebe Freunde,
liebe Nachbarn,

es ist Sommer und wir eröffnen die Grillsaison!
Wir laden Euch herzlich zu unserem Grillfest ein:
am Samstag, 1. Juni, 17.00 Uhr
in unserem Garten

Lasst uns bitte wissen: Wer bringt Fleisch, Würstchen oder einen Salat mit? Für Getränke sorgen wir.
Bitte gebt bis 25. Mai Bescheid.
Wir freuen uns auf Euch!

Viele Grüße

Saskia und Patrick

C

E-Mail senden

Liebe Mitarbeiterinnen und Mitarbeiter,
auch dieses Jahr möchten wir wieder mit Ihnen Weihnachten feiern: am 12. Dezember um 16.00 Uhr im Restaurant Lindenhof.
Wir freuen uns auf Ihr Kommen. Bitte melden Sie sich bis 1. Dezember an (sekretariat@wohlleben.de).

Mit freundlichen Grüßen
Gerhard Hintermayr

D2 Laden Sie eine Freundin / einen Freund ein. Schreiben Sie eine Einladung.

Nennen Sie den Grund für die Einladung, das Datum, den Ort und die Uhrzeit. Bitten Sie um Antwort.

einladen	zu einer / zur	• Party
	zu einem / zum	• Geburtstag
		• Grillfest

Anrede	→	Liebe/Lieber ...,
Einladung	→	Ich habe Geburtstag. / Am ... werde ich ... (Jahre alt). / Ich möchte meinen Geburtstag feiern / ein Grillfest machen / ... und lade Dich dazu ein. / Ich lade Dich zu meiner Geburtstagsparty / zu meinem Geburtstag / zu einem Grillfest / ... ein.
Zeit/Ort	→	Wann: ... / Wo: ...
Frage/Bitte	→	Kommst Du? / Kannst Du kommen? Ich würde mich freuen. Bitte antworte bis ... / Bitte gib bis ... Bescheid.
Gruß + Name/Unterschrift	→	Viele/Herzliche Grüße

E Feste und Glückwünsche

E1 Was passt zu den Festen?

Ordnen Sie zu.

● das Feuerwerk

● der Weihnachtsmann

● der Weihnachtsbaum

● die Ostereier

● der Osterhase

	Foto
Ostern	C,
Weihnachten	
Silvester/Neujahr	

E2 Mein Lieblingsfest

a Was ist ihr/sein Lieblingsfest? Lesen Sie die Texte auf Seite 173 und verbinden Sie.

1 Lisa und Ben	Nikolaus
2 Romana	Ostern
3 Laura	Weihnachten

b Lesen Sie noch einmal und korrigieren Sie.

1

a Lisa und Ben mögen Ostern, denn dann beginnt der ~~Winter~~. Frühling

b Sie verstecken Ostereier. ....

c Am Mittag essen sie bei Freunden. ....

2

a Weihnachten dauert in Österreich vom 24. bis zum 25.12. ....

b Romana feiert den „Heiligen Abend" mit Freunden. ....

c Oma legt die Geschenke unter den Baum. ....

3

a Der Nikolaus kommt am 5. Dezember in die Schule. ....

b Er schenkt allen Kindern ein Buch und Nüsse. ....

c Laura stellt ihre Schuhe morgens vor die Haustür. ....

So feiern wir in D-A-CH

Wir sind beide nicht religiös. Auf Ostern freuen wir uns aber jedes Jahr, denn für uns ist Ostern ein Fest voller Optimismus: Der Winter geht zu Ende, der Frühling kommt, in der Sonne ist es schon richtig warm und die Tage sind nicht mehr so kurz. Ben und ich machen am Ostersonntag immer ein Osterfrühstück mit bunten Ostereiern. Vorher verstecke ich ein Geschenk für Ben und Ben versteckt ein Geschenk für mich. Danach muss jeder sein Geschenk suchen. Der andere darf ihm dabei mit Tipps helfen. Das ist total lustig. Mittags gehen wir zu Bens Eltern. Dort gibt es Lammbraten. Lecker!

Lisa und Ben, Zürich

1

2

In Österreich feiern wir vom 24. bis zum 26. Dezember Weihnachten. Am 24. ist der „Heilige Abend", am 25. der Christtag und am 26. der Stefanitag. Am Heiligen Abend schmücke ich mit den Kindern den Christbaum. Um 17 Uhr kommen meine Eltern und wir essen zusammen. Bei uns gibt es jedes Jahr Bratwürstel mit Sauerkraut und Brot. Um 18 Uhr gehen Oma und Opa mit den Kindern kurz spazieren. Ich lege die Geschenke unter den Baum und zünde die Kerzen an. Dann kommen die anderen zurück, wir wünschen uns „Frohe Weihnachten!", singen Weihnachtslieder und packen die Geschenke aus.

Romana, Linz

Am 6. Dezember kommt der Nikolaus zu uns in die Schule. Sein Mantel ist rot, sein Bart ist weiß und er hat einen Sack und ein Buch. In dem Buch steht alles drin, was wir im letzten Jahr gemacht haben. Das liest der Nikolaus vor und dann bekommt jeder Schokolade, einen Apfel und Nüsse. Bei mir zu Hause kommt der Nikolaus schon vorher, aber nachts, wenn ich schlafe. Am 5. Dezember stelle ich abends meine Schuhe vor die Haustür und am nächsten Morgen sind dann Süßigkeiten drin. Ich glaube aber, das macht der Papa.

Laura, Nürnberg

3

E3 Welche Glückwünsche passen?

Sehen Sie die Karten an und ordnen Sie zu.

A

B

C

D

1 (B) Frohe Ostern! 2 ◯ Wir gratulieren zur Hochzeit. 3 ◯ Frohe Weihnachten!
4 ◯ Ein gutes neues Jahr!

Grammatik und Kommunikation

Grammatik

1 Ordinalzahlen: Datum ÜG 8.01

1.–19. → -te		ab 20. → -ste	
1.	der erste	20.	der zwanzigste
2.	der zweite	21.	der einundzwanzigste
3.	der dritte	...	
4.	der vierte		
5.	der fünfte		
6.	der sechste		
7.	der siebte		
...			

Wann?
Am zweiten Mai. Vom zweiten bis (zum) zwanzigsten Mai.

Welche drei Tage in Ihrem Leben sind besonders wichtig für Sie? Schreiben Sie.

Der dreizehnte Juli ist wichtig für mich. Da habe ich meinen Freund kennengelernt. ...

2 Personalpronomen im Akkusativ ÜG 3.01

Nominativ	Akkusativ	Nominativ	Akkusativ
ich	mich	wir	uns
du	dich	ihr	euch
er/es/sie	ihn/es/sie	sie/Sie	sie/Sie

für mich, dich ...

Wer? Wen oder was?
Ich **liebe** dich.

3 Konjunktion: *denn* ÜG 10.04

Sie feiern Abschied. Lara und Tim fahren nach Hause.
Sie feiern Abschied, denn Lara und Tim fahren nach Hause.

Wählen Sie ein Thema und schreiben Sie Sätze mit *denn*. Wie viele Sätze finden Sie in drei Minuten?

Ich liebe Hunde, denn ... / Mein Lieblingsmonat ist der ..., denn ... / Ich liebe die Berge / das Meer, denn ...

4 Verb: Konjugation ÜG 5.16

werden	
ich	werde
du	wirst
er/es/sie	wird
wir	werden
ihr	werdet
sie/Sie	werden

Wie alt wird Ihre Familie in diesem Jahr? Schreiben Sie und rechnen Sie.

Meine Mutter wird ....
Meine Oma wird ....
....
....
Zusammen werden wir .... Jahre alt.

Kommunikation

ÜBER JAHRESTAGE SPRECHEN: Ich habe am 4. Januar Geburtstag.

Wann hast du Geburtstag?
Am 13. März. / Ich habe am 4. Januar Geburtstag. /
Ich bin am 19. Januar geboren.

GLÜCKWÜNSCHE: Alles Gute!

Alles Liebe/Gute (zum Geburtstag). | Herzlichen Glückwunsch (zum Geburtstag / ...)!/ Gratuliere! | Ich gratuliere / Wir gratulieren zur Hochzeit. / zur/zum ... | Ich wünsche dir viel Glück und Freude und Gesundheit. | Frohe Ostern! | Frohe Weihnachten!
(Ein) Gutes neues Jahr!

BRIEFE / E-MAILS SCHREIBEN: Liebe Vanessa!

Liebe/Lieber ..., | Viele/Herzliche Grüße | Mit freundlichen Grüßen

EINLADEN: Ich lade Dich/Sie ein.

Ich habe Geburtstag. | Am ... werde ich ... (Jahre alt). | Ich möchte meinen Geburtstag feiern und lade Dich/Sie dazu ein. | Ich lade Dich/Sie zu meiner Geburtstagsparty / zu meinem Geburtstag ein.
Wir möchten ... gern zusammen mit Euch/Ihnen feiern.

Kommst Du / Kommen Sie? | Kannst Du / Können Sie kommen?
Ich würde mich freuen. | Wir freuen uns auf viele Gäste. /
Ihr Kommen.

Bitte antworte bis ... | Bitte gib / geben Sie bis ... Bescheid.
Bitte melden Sie sich bis ... an.

ZU- UND ABSAGEN: Ich kann nicht kommen.

Vielen Dank für die Einladung. | Ich komme gern! | Leider kann ich nicht kommen. | Ich kann leider nicht (mit-)kommen. | Tut mir leid, aber ich habe keine Zeit.

Sie machen eine Silvesterparty. Schreiben Sie eine Einladung.

Liebe Caro,
ich möchte eine Silvesterparty machen ...

Sie möchten noch mehr üben?

Lernziele

Ich kann jetzt ...

A ... das (Geburts-)Datum nennen: *Ich habe am 4. Mai Geburtstag.* ____ ☺ 😐 ☹

B ... über Personen und Dinge sprechen: *Ich habe dich sehr lieb, Opa.* ____ ☺ 😐 ☹
... um Hilfe bitten: *Kannst du ihn bitte reparieren?* ____ ☺ 😐 ☹

C ... eine Einladung zu- oder absagen und einen Grund nennen:
Ich komme gern. / Ich kann leider nicht kommen, denn mein Flug geht am Freitagmittag. ____ ☺ 😐 ☹

D ... Einladungen lesen und schreiben:
Liebe Vanessa, ich lade Dich zu meiner Party ein. ____ ☺ 😐 ☹

E ... Texte zum Thema „Mein Lieblingsfest" verstehen und gratulieren:
Wir gratulieren zur Hochzeit. ____ ☺ 😐 ☹

Ich kenne jetzt ...

5 Wörter zum Thema *Feste*:
Ostern, ...

5 Glückwünsche:
Alles Gute!, ...

SCHREIBEN

Das Lieblingsfest von Maija aus Riga

„In Lettland feiern wir am 23. Juni das Mittsommerfest und am 24. Juni den Johannistag. Beides zusammen heißt bei uns Jāņi.
Wir feiern da den Sommer und die Natur. Am Mittsommertag ist der Tag fast 18 Stunden lang. Wir machen dann große Feuer, und die brennen bis zum Morgen. Man sagt, das bringt Glück und ist gut gegen böse Geister.
Wir singen spezielle Lieder, die Dainas.
Natürlich essen und trinken wir auch, zum Beispiel Kümmelkäse und Bier.
Jāņi ist mein Lieblingsfest, denn ich liebe den Sommer und die Sonne."

1 Lesen Sie den Text und ergänzen Sie.

a In welchem Land ist das Fest? ....
b Wann ist das Fest? ....
c Was feiert man? ....
d Was macht man? Feuer machen, singen, ...

2 Ihr Lieblingsfest
Machen Sie Notizen und schreiben Sie dann Ihren Text.
Bringen Sie auch ein Foto mit.

Mein Lieblingsfest ist ...
Es ist am ... / im ...
Man feiert ...
Wir singen/tanzen/feiern/essen/schenken/...

Mein Lieblingsfest

Mein Lieblingsfest ist der St. Patrick's Day. Man feiert diesen Tag am 17. März. Wir singen ...

RÄTSEL

Sprichwort

Lösen Sie das Rätsel und finden Sie ein bekanntes deutsches Sprichwort.

Lösung:
In der Nacht sind alle Katzen grau.

PROJEKT

Juhu! Fertig mit A1!

Der A1-Deutschkurs ist nun fast zu Ende. Gemeinsam haben Sie viel gelernt und bald kommt etwas Neues, zum Beispiel der A2-Kurs? Aber vorher wollen Sie sicher noch einmal zusammen auf Ihre „A1-Zeit" zurückschauen. Hier sind zwei Ideen. Wählen Sie eine Idee. Arbeiten Sie zu zweit oder in Gruppen. Haben Sie eigene Ideen? Nur zu! Wir, das „Schritte-Team", sagen „Dankeschön für Ihre Mitarbeit!", wünschen Ihnen viel Spaß und Erfolg beim „Weitermachen".

Idee 1:
Eine Wandzeitung mit Lieblingswörtern von allen Kursteilnehmern

a Sammeln Sie das deutsche Lieblingswort von jedem Kursteilnehmer und machen Sie damit eine Wandzeitung oder eine Computer-Präsentation.
b Stellen Sie das Ergebnis im Kurs vor.

Unsere Lieblingswörter
Regenschirm
Grillwürstchen
Autobahn
Schokoladeneis
Luftballon

Idee 2:
Eine Präsentation mit Fotos von den Kursteilnehmern

a Sammeln Sie Fotos von allen Kursteilnehmern und machen Sie damit eine Wandzeitung oder eine Computer-Präsentation.
b Stellen Sie das Ergebnis im Kurs vor und ergänzen Sie gemeinsam die Informationen zu den Fotos (Name, Hobbys usw.).

Arbeitsbuch

A Ich bin **Physiotherapeutin**.

A2 **1 Ergänzen Sie die Berufe.**

a Ich unterrichte Deutsch und Mathematik. Ich bin Lehrerin (inrerLeh).
b Ich schreibe Texte für eine Zeitung. Ich bin .... (lisnaJourtin).
c Ich arbeite in einem Krankenhaus. Ich bin .... (tinzrÄ).
d Ich arbeite für einen Arzt. Ich bin .... (ferArztinhel).
e Ich habe noch keine Arbeit. Ich bin .... (lerSchü).

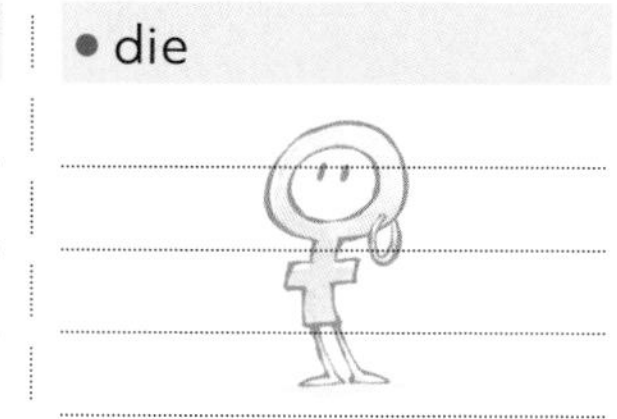

A2 **2 Berufe: Bilden Sie Wörter, ordnen Sie zu und ergänzen Sie.**

In zist nieur ger ~~Ärz~~ li pfle lis Ver Haus Kran tin
Po Haus meis ge frau käu ter fer Jour na ~~tin~~ ken

● der	● die	● der	● die
Arzt	Ärztin		

A2 **3 Was sind Sie von Beruf? Was ist Ihr Bruder / Ihre Schwester / Ihr Vater ... von Beruf?**
Suchen Sie fünf Berufe im Wörterbuch.

Bäcker ....
....

A3 **4 Ordnen Sie zu.**

Ich bin | ich arbeite als | Sehr gut | ~~Was machen Sie beruflich~~ | eine Ausbildung als Arzthelferin | Haben Sie auch einen Job

a ◆ Was machen Sie beruflich?
○ .... Studentin.

b ◆ ....?
○ Ja, ... Arzthelferin.

c ◆ Haben Sie ....
.... gemacht?
○ Ja, natürlich!

d ◆ Wie gefällt Ihnen die Arbeit?
○ ....!

A3 **5 Verbinden Sie.**

a Was sind
b Was machen
c Ich mache
d Ich habe
e Ich bin bei
f Ich bin
g Ich arbeite

1 Riemer & Partner angestellt, in der IT-Abteilung.
2 eine Stelle als Physiotherapeut.
3 als Architektin.
4 zurzeit nicht berufstätig.
5 Sie beruflich?
6 Sie von Beruf?
7 eine Ausbildung als Arzthelferin.

◇ A3 6 Ordnen Sie zu.

machst | bin | habe | bist | studiere | arbeite | ~~machen~~

a
◆ Was *machen* Sie beruflich?
○ Ich ______ noch. Und am Wochenende ______ ich einen Job beim Fernsehen.

b
▲ Was ______ du von Beruf?
□ Ich bin Arzthelferin, aber ich ______ zurzeit nicht. Ich bin arbeitslos.

c
✚ Was ______ du?
● Ich ______ Schülerin und nicht berufstätig.

❖ A3 7 Was machen die Personen? Schreiben Sie.

a
Sofia Renzel
Beruf: Studentin
Job: Verkäuferin
Firma: Possmann

Sofia Renzel ist …

b
Chiara Morrone
Beruf: Physiotherapeutin
zurzeit: arbeitslos
jetzt: Deutschkurs

A3 8 Wer sind Sie? Schreiben Sie.

Schreibtraining

Name? | Herkunftsland? | Studium? | Ausbildung? | Beruf? | Wo haben Sie schon mal gearbeitet? | Was haben Sie gearbeitet? | Was machen Sie zurzeit? | Sind Sie angestellt oder selbstständig?

Mein Name ist … und ich komme …
Ich bin … von Beruf. / Ich arbeite als …
Ich habe als … gearbeitet. / Ich habe … studiert.
Jetzt/Zurzeit studiere/arbeite ich … /

A3 9 *-e* und *-er* am Wortende

Phonetik

2 ◀)) 1 **a** Hören Sie und sprechen Sie nach.

Lehrer – Lehrerin | Babysitter – Babysitterin | Verkäufer – Verkäuferin
Schüler – Schülerin | Partner – Partnerin | Hausmeister – Hausmeisterin

2 ◀)) 2 **b** Hören Sie noch einmal. Wo hören Sie kein *r*? Markieren Sie in a.

2 ◀)) 3 **c** Hören Sie und sprechen Sie nach. Achten Sie auf *-e* und *-er*.

1 Ich bin Lehrerin. Ich liebe Mathematik.
2 Ich arbeite im Krankenhaus. Ich bin Krankenpfleger.
3 Ich arbeite im Möbelhaus. Ich bin Verkäufer.

A3 10 Hören Sie und ergänzen Sie: *-e* oder *-er*.

2 ◀)) 4
Phonetik

a
Ich bin Hausmeister. Ich bin selbstständig und hab___ ein___ Firma.

b
Ich bin Schül___. Am Vormittag geh___ ich zur Schule, aber am Abend hab___ ich einen Job als Pizzaverkäuf___.

c
Ich hab___ ein___ Stell___ als Krankenschwest___.

d
Ich arbeit___ als Journalist. Ich schreib___ eine Geschicht___ für die Zeitung.

B Wann hast du die Ausbildung gemacht?

B2 **11 Verbinden Sie.**

a ◆ Seit wann machen Sie die Ausbildung? — 2
b ◆ Wann haben Sie die Ausbildung gemacht?
c ◆ Wie lange hat die Ausbildung gedauert?
d ◆ Seit wann sind Sie schon selbstständig?

1 ○ Vor zehn Jahren.
2 ○ Seit zwei Monaten.
3 ○ Seit 2005.
4 ○ Zwei Jahre.

B2 **12 Ergänzen Sie.**

a ◆ Wann .... sind Sie geboren? ○ 1980.
b ◆ .... sind Sie nach Österreich gekommen? ○ Vor drei Jahren.
c ◆ .... machen Sie beruflich? ○ Ich bin angestellt und arbeite als Ingenieur.
d ◆ .... / .... arbeiten Sie als Ingenieur? ○ Seit zwei Jahren.
e ◆ .... haben Sie Deutsch gelernt? ○ Zwei Jahre, als Schüler.

B3 **13 Ordnen Sie zu.**

Diplom | Informationen | geehrter | Praktikum | Gerade | Fragen | gern | Grüßen | Wirtschaft | ~~Bewerbung~~

E-Mail senden

Betreff: Bewerbung um ein Praktikum im Marketing

Sehr .... Herr Lornsen,

ich möchte gern in Ihrem Büro ein .... machen. Ich bin Spanierin und habe in Madrid .... und Marketing studiert. 2015 habe ich mein .... gemacht. .... mache ich hier in Hamburg einen Deutschkurs. Ich spreche auch sehr gut Englisch. Haben Sie noch ....? Für weitere .... stehe ich Ihnen .... zur Verfügung.

Mit freundlichen ....
Elena Santos

B4 **14 Ergänzen Sie: *vor – seit*.**

a ◆ Wann sind Sie nach Wien gekommen? ○ Vor zwei Jahren.
b ◆ Seit wann leben Sie schon in Salzburg? ○ .... sechs Monaten.
c ◆ Wann haben Sie geheiratet? ○ .... drei Monaten.
d ◆ Haben Sie schon eine Arbeit gefunden? ○ Ja, ... vier Wochen.
e ◆ Wie lange studieren Sie schon Wirtschaft? ○ .... drei Jahren.
f ◆ Wann haben Sie das Praktikum bei XLAN gemacht? ○ .... zwei Jahren.
g ◆ Wie lange lernen Sie schon Deutsch? ○ ....

B4 15 Ergänzen Sie: *seit – vor – von ... bis – am – um – im.*

a
◆ Hast du Markus getroffen?
○ Ja, vor einer Woche.

b
Miriam macht .... zwei Monaten einen Deutschkurs.

c
▲ Wie lange arbeiten Sie .... Freitag?
□ .... acht .... vierzehn Uhr.

d
Ich kann .... Sonnabend nicht kommen. Ich arbeite im Kaufhaus.

e
◆ Wie lange kennst du Paolo schon?
○ Erst .... einer Woche. Wir haben uns genau .... Sonntag .... einer Woche bei Daniela getroffen.

f
◆ Wann gehst du heute einkaufen? .... Nachmittag oder schon .... Vormittag?
○ .... drei Uhr. Ich möchte kurz .... fünf Uhr wieder zu Hause sein.

g
▲ Wann kommen deine Eltern?
□ .... Sommer.

B5 16 Ergänzen Sie in der richtigen Form.

◆ Was macht eigentlich Felix?
○ Er ist vor acht Monaten (acht Monate) aus Mexiko zurückgekommen – mit Rosa. Er hat vor .... (ein Jahr) geheiratet.
◆ Toll! Hast du Rosa denn auch schon getroffen?
○ Ja, vor .... (ein Monat).
◆ Spricht sie auch Deutsch?
○ Noch nicht so gut. Sie lernt erst seit .... (ein Monat) Deutsch.

◇ B5 17 Ordnen Sie zu.

1991 | vor einem Monat | Im Sommer | fünf Jahre | seit fünf Monaten | ~~Vor sechs Monaten~~

Ich heiße Elena und bin .... in Málaga geboren. Später habe ich in Madrid gelebt. Dort habe ich .... Psychologie und Marketing studiert. .... habe ich oft als Reiseführerin gearbeitet. Vor sechs Monaten bin ich nach Deutschland gekommen. Ich lerne .... Deutsch. Ich arbeite gerade nicht, aber .... habe ich ein Praktikum bei „Media & Partner" in der Kommunikationsabteilung gemacht.

❖ B5 18 Schreiben Sie.

~~1976: in Sydney geboren~~ | dort: als Surflehrer gearbeitet | vor (vier Jahre): nach Deutschland gekommen | vor (drei Jahre): heiraten | seit (drei Jahre): in Frankfurt | (zwei Jahre): als Reiseführer gearbeitet | seit (drei Monate): Stelle im Reisebüro „Weltweit"

Ich heiße Peter. Ich bin 1976 in Sydney geboren. Dort ...

C Ich **hatte** ja noch keine Berufserfahrung.

C2 **19 Lesen Sie und markieren Sie.**
Ergänzen Sie dann die Tabelle.

Wiederholung A1, L7

Salif, 27

Mein erster Sommerjob

Vor einem Jahr bin ich zum Studieren nach London gekommen. Im Sommer habe ich einen Job gesucht. Ich habe einen Job als Reiseführer gefunden und die Stadt gezeigt. Das hat Spaß gemacht. Ich habe viele nette Touristen getroffen. Ich habe einen Monat viel gearbeitet. Danach bin ich mit Freunden nach Dublin gefahren. Wir haben viel Live-Musik gehört und wir sind ins Theater und ins Kino gegangen.

kommen	*bin gekommen*
fahren	
gehen	

suchen	*habe gesucht*
finden	
zeigen	
machen	
treffen	
arbeiten	
hören	

C2 **20 Lesen Sie und markieren Sie die Formen von *haben* und *sein*.**
Ergänzen Sie dann die Tabelle.

Grammatik entdecken

◆ Wo wart ihr denn am Samstag?
○ Ich war zu Hause.
▲ Wir waren auch zu Hause. Meine Eltern waren da. Und du?
□ Ich war in der Firma. Wir hatten viel Arbeit.
▲ Und wo warst du? Hattest du ein schönes Wochenende?
◆ Na ja, es geht. Ich hatte frei, aber ihr hattet ja keine Zeit!

	sein		haben	
ich	bin		habe	
du	bist		hast	
er/es/sie	ist	war	hat	hatte
wir	sind		haben	
ihr	seid	*wart*	habt	
sie/Sie	sind		haben	hatten

C3 21 Ordnen Sie zu.

~~ist~~ ist ist ist sind war war war war war waren wart Warst hatten hatte hatte Hattet

◆ Schau mal, das *ist* meine Familie: Das ________ meine Eltern, das ________ meine Schwester, das ________ mein Bruder und das ________ Maria, meine Tochter.

○ Wann ________ das?

◆ Das ________ vor fünf Jahren. Meine Tochter ________ da erst vier Jahre alt. Sie ________ am nächsten Tag Geburtstag.

○ Und wo ________ ihr da?

◆ Wir ________ bei Freunden in Schweden.

○ Oh, schön! Und wie ________ das Wetter? ________ ihr viel Sonne?

◆ Ja, das Wetter ________ super, wir ________ viel Sonne. ________ du schon mal in Schweden?

○ Ja, aber ich ________ viel Regen und wenig Sonne.

◇ C3 22 Was ist richtig? Kreuzen Sie an.

a

◆ ☒ Hattet ○ Wart ihr ein schönes Wochenende?

○ Ja, wir ○ waren ○ hatten auf der Party bei Timo. Wo ○ wart ○ warst du eigentlich, Sandra?

◆ Ich ○ war ○ hatte keine Zeit. Ich ○ war ○ hatte zu viel Arbeit.

b

▲ Wie ○ waren ○ war dein erster Job?

■ Nicht besonders toll. Ich ○ hattet ○ hatte sehr viel Arbeit und manchmal auch sehr viel Stress. Aber meine Kollegin ○ waren ○ war sehr nett.

▲ Da ○ hattest ○ hattet du ja Glück! Ich habe als Kellnerin in einem Café gearbeitet. Und meine Kollegen ○ waren ○ war professionell, aber nicht sehr nett.

❖ C3 23 Was erzählt Manolo heute? Schreiben Sie.

Vor zwei Jahren

Ich bin jetzt in Deutschland. Ich habe einen Job als Kellner. Der Job ist einfach. Aber ich habe nur wenig Berufserfahrung. Die Kollegen sind nicht sehr nett. Und ich spreche nicht gut Deutsch. Ich habe keine Freunde. Aber jetzt gehe ich in einen Sprachkurs. Dann studiere und arbeite ich. Und Freunde finde ich dann auch.

Heute

Vor zwei Jahren bin ich nach Deutschland gekommen. Ich hatte ...
...
Aber dann bin ich ...
...

D Praktikums- und Jobbörse

D1 24 Was passt nicht? Streichen Sie.

a Ich suche eine Stelle als Sekretärin. – ~~Patient.~~ – Koch.
b Ich habe wenig Berufserfahrung. – ein Studium gemacht. – selbstständig.
c Ich möchte gern als Babysitterin – Diplom – Krankenschwester arbeiten.
d Ich habe an der Universität Abteilungsleiter – Informatik – Marketing studiert.

D1 25 Wer ist das? Schreiben Sie. Beginnen Sie die Sätze mit den markierten Wörtern.

Schreib-training

Ich bin David Gómez. Ich bin 29 Jahre alt und komme aus Chile. Ich bin Informatiker ***von Beruf****. Ich habe schon zwei Jahre als Informatiker* ***in Chile*** *gearbeitet. Ich habe* ***dort*** *im Internet ein super Jobangebot gelesen. Ich habe* ***meine Bewerbungsunterlagen*** *gleich per E-Mail geschickt. Ich bin dann* ***vor drei Monaten*** *nach Deutschland gekommen. Ich spreche* ***zurzeit*** *mit den Kollegen noch Englisch. Ich mache* ***immer am Samstag*** *einen Deutschkurs. Ich will* ***bald*** *auch im Büro Deutsch sprechen.*

Das ist David Gómez. Er ist 29 Jahre alt und kommt aus Chile. Von Beruf ist er …

LERNTIPP Beginnen Sie die Sätze beim Schreiben nicht immer gleich (mit *ich/du/er/…*).

D1 26 Stellenanzeigen

a Ergänzen Sie.

A
Sie lieben große Reisen und Events?
Dann kommen Sie zu uns!
Hier arbeiten Sie im B e r e i c h
Eventmanagement/To … r … m … s.
Wir bieten eine interessante Arbeit mit
netten K … ll … g … n in jungem T … m.
Bewerbung bitte an:
eventagentur@weltweit.de

B
Ich studiere W … t … a … t
und suche ein … r … k t … k … m in
den S … m … t … ferien im
Bereich Controlling. Ko … t … t:
timweston@qmail.com

C
S … ü … r … n sucht Job als
B … y … rin. Ich f … u …
mich auf Ihre Kinder!
Mail: anaS@f-online.de

D
Cateringagentur | Wir suchen einen
Ko … mit B … uf … f … g
und einen K … l … n … für den
S … vi … e. info@bestcatering.de
oder 030 – 876 54 53

E
Krankenhaus in Steinbruck sucht
K … a … e … ch … e … n
und K … k … p … g … r mit
guten Deutschk … n … t … s … n.
U … t … l … n bitte per E-Mail
an: info@ks.de

b Lesen Sie die Anzeigen und ordnen Sie zu.

1 Wer sucht eine Arbeit / einen Job? ……………
2 Wo gibt es eine Arbeit / einen Job? A, ……………

D1 27 Was ist richtig? Kreuzen Sie an.

Ich arbeite ☒ seit ○ vor ○ für drei Jahren in Berlin. (a) Nächstes Jahr möchte ich ○ seit ○ vor ○ für mindestens vier Wochen nach China fahren. (b) Ich war ○ seit ○ vor ○ für einem Jahr schon einmal in Shanghai. (c) Jetzt lerne ich ○ seit ○ vor ○ für drei Monaten Chinesisch. (d) Kim aus Peking kenne ich ○ seit ○ vor ○ für zwei Wochen. (e) Jeden Tag sprechen wir ○ seit ○ vor ○ / zwei Stunden nur Chinesisch. (f) Ich möchte ○ seit ○ vor ○ für ein Jahr in China arbeiten und suche einen Job. (g)

D1 28 Was ist richtig? Kreuzen Sie an.

a Anna ist ☒ seit einer Woche ○ für eine Woche fertig mit der Schule. Nun möchte sie ○ für ein Jahr ○ seit einem Jahr in Irland arbeiten. Sie hat schon ○ für drei Monate ○ vor drei Monaten eine Bewerbung geschrieben und einen Job in einem Café bekommen.

b Enrique lernt zurzeit fünf Tage pro Woche Deutsch, aber am Wochenende hat er Zeit. Er sucht ○ für sechs Monate ○ vor einem Monat einen Job. Er möchte eine Arbeit ○ vor einem Tag ○ für einen Tag am Wochenende. ○ Für ein Jahr ○ Vor einem Jahr hatte er einen Job als Kellner.

D1 29 Markieren Sie in 28 und ergänzen Sie die Tabelle.

Grammatik entdecken

	• der Monat/Tag	• das Jahr	• die Woche	• drei Monate
seit/vor	ein ___ Monat/Tag	ein ___ Jahr	ein *er* Woche	drei Monate ___
für	ein ___ Monat/Tag	ein */* Jahr	ein ___ Woche	drei Monate ___

D1 30 Ergänzen Sie *für*, *seit* und *vor* und vergleichen Sie.

Deutsch	Englisch	Meine Sprache oder andere Sprachen
Ich lebe *seit* einem Jahr in Berlin.	I have been living in Berlin for a year.	
Anna hat ___ drei Monaten einen Job gefunden.	Anna found a job three months ago.	
Anna möchte ___ ein Jahr in Irland arbeiten.	Anna wants/would like to work in Ireland for a year.	

D

D1 **31 Im Café**

2 🔊 5 **a** Was ist richtig? Hören Sie und kreuzen Sie an.
Antek und Luisa suchen ○ einen Praktikumsplatz. ○ einen Job.

b Was ist richtig? Hören Sie noch einmal und kreuzen Sie an.

1 ☒ Antek möchte in den Ferien arbeiten und seine Freunde sehen.
2 ○ Luisa hat schon einmal ein Praktikum in einem Hotel gemacht.
3 ○ Jetzt sucht Luisa einen Job als Kellnerin oder Rezeptionistin.
4 ○ Luisa möchte nur in den Semesterferien im Sommer arbeiten.
5 ○ Luisa ruft bei der Cateringagentur an.
6 ○ Antek möchte auch gern in einem Service-Beruf arbeiten.

D1 **32 Um Informationen bitten und Informationen geben: Thema „Arbeit".**

Prüfung **a** Schreiben Sie jeweils zwei Fragen zu den Kärtchen.

Wie lange | Wann | Seit wann | Wo | Wie | Wer | Was | Hast du | ...

Thema Arbeit	Thema Arbeit	Thema Arbeit
Kollegen	*Ausbildung*	*Arbeitszeit*
Thema Arbeit	**Thema Arbeit**	**Thema Arbeit**
Pause	*Beruf*	*Firma*

Arbeitszeit:
Wie lange arbeitest du?
Möchtest du gern ...

LERNTIPP In Prüfungen müssen Sie Fragen stellen. Notieren Sie Fragewörter und Fragen zu Themen wie: *Arbeiten*, *Freizeit* oder *Essen & Trinken*.

b Gruppenarbeit: Fragen Sie und antworten Sie.

Wann hast du deine Ausbildung gemacht?
Vor zwei Jahren.
AUSBILDUNG
ARBEITS-ZEIT

E Am Telefon: Ist die Stelle noch frei?

E2 33 Ergänzen Sie.

a

◆ Guten Tag. Mein Name ist Sandra Wolf. Ich habe Ihre Anzeige gelesen. Sie suchen eine Praktikantin (ktitinkanPra) im ________ (reicheB) Mode? Ist die Stelle noch ________ (frie)?

○ Ja.

b

◆ Wie lange ________ (ertaud) das Praktikum?

○ Sechs Monate.

◆ Und wie ist die ________ (zeitbeitsAr)?

○ Das weiß ich ________ (deriel) nicht genau. Aber ________ (norsemalerwei) sind wir montags bis freitags von 9–18 Uhr hier.

c

◆ ________ (mekomBe) ich für das Praktikum Geld?

○ Wir ________ (hazlen) 11,50 € pro ________ (nutSde).

◆ Das ist gut. Möchten Sie die Bewerbung ________ (lichtfirsch)?

○ Ja, bitte schicken Sie sie per E-Mail an info@ateliernull.de.

◆ Danke.

E2 34 Ist die Stelle noch frei?

a Ordnen Sie das Gespräch.

◯ ◆ Ja. Schicken Sie mir doch bitte bald Ihre schriftliche Bewerbung per E-Mail.

(1) ◆ Reisebüro „Globalreisen". Münziger, guten Tag.

◯ ◆ Ja, das stimmt, Frau Meinert. Haben Sie denn schon Erfahrung als Reiseführerin?

◯ ◆ Auf Wiederhören, Frau Meinert.

◯ ○ Guten Tag, mein Name ist Christine Meinert. Ich habe Ihre Anzeige gelesen. Sie suchen Reiseführer für Südengland.

◯ ◆ Das freut mich. Und jetzt möchten Sie wieder in England arbeiten?

◯ ○ Das mache ich. Herzlichen Dank und auf Wiederhören.

◯ ○ Ja, ich studiere Tourismus an der Universität Frankfurt und habe schon sechs Monate ein Praktikum als Reiseführerin in London gemacht. Das hat viel Spaß gemacht!

(6) ○ Ja, genau. Ist die Stelle noch frei?

2 ◀)) 6 b Hören Sie und vergleichen Sie.

Test Lektion 8

1 Wie heißen die Wörter? Ordnen Sie zu.

1 ...... /9 Punkte

WÖRTER

solbeitsar | digststselbän | elleSt | ~~kumrPaitk~~ | Bebungweren | Pisxar | hönicK | sdieturt | boJ | Aerznthlferi

a Jennifer macht ein Praktikum als .... bei einem Kinderarzt.
b Emilia .... Wirtschaft. Am Abend hat sie einen .... als .... in einem Restaurant.
c Susan ist Ärztin. Sie ist .... und hat eine eigene ....
d Martin ist zurzeit .... Er sucht eine .... als Informatiker und schreibt viele ....

...... 0–4 / 5–7 / 8–9

2 Ergänzen Sie in der richtigen Form: *haben – sein*.

2 ...... /7 Punkte

GRAMMATIK

◆ Hattest (a) du ein schönes Wochenende?
○ Ja, Alba .... (b) doch Geburtstag. Ich .... (c) auf der Party.
◆ Und wie .... (d) die Party? .... (e) viele Freunde da?
○ Ja. Wir .... (f) viel Spaß. Und wo .... (g) ihr?
◆ Wir .... (h) in der Firma. Wir hatten (i) viel Arbeit.

3 Was ist richtig? Kreuzen Sie an.

3 ...... /5 Punkte

◆ Wann bist du nach Zürich gekommen?
○ ○ Vor ○ Seit (a) zwei Jahren. Zuerst habe ich ☒ / ○ seit (b) ein Jahr einen Deutschkurs gemacht. Und ○ für ○ seit (c) fast drei Jahren studiere ich Wirtschaft.
◆ Wie lange dauert das Studium noch?
○ Noch ○ für ○ / (d) sechs Monate. Und dann möchte ich ○ für ○ vor (e) einen Monat zu meiner Familie nach Mexiko fahren.
◆ Wie lange hast du deine Familie nicht gesehen?
○ ○ Vor ○ Seit (f) einem Jahr.

...... 0–6 / 7–9 / 10–12

4 Ordnen Sie zu.

4 ...... /6 Punkte

KOMMUNIKATION

Wir zahlen 450 Euro | wir suchen eine Verkäuferin | Und wie ist die Arbeitszeit | Ist die Stelle noch frei | vier Stunden am Vormittag | Ich habe Ihre Anzeige gelesen | ~~wie ist die Vergütung~~

◆ Modehaus Schott, Susanne Zimmermann, guten Tag.
○ Guten Tag. Mein Name ist Victoria Peterson. .... (a) .... ? (b)
◆ Ja, ... für unser Modehaus. (c)
○ Gut. .... ? (d)
◆ Montags, dienstags und donnerstags .... (e)
○ Das passt. Und wie ist die Vergütung ? (f)
◆ .... (g) pro Monat.

...... 0–3 / 4 / 5–6

1 Studenten-Job gesucht

a Welcher Link passt zu den Anzeigen 1–4? Lesen Sie und ordnen Sie zu.

Bay-Regio

Stellengesuche
Stellenangebote
KFZ-Markt
Haushalt / Möbel
Verkäufe

Stellengesuche

- ◯ Brauchen Sie eine Babysitterin? Anzeige vom 24.3.
- ① Englisch für die Arbeit? Anzeige vom 23.3.
- ◯ Koch oder Kellner gesucht? Anzeige vom 21.3.
- ◯ Arzthelferin gesucht? Anzeige vom 21.3.

1

Sie brauchen Englisch im Büro? Muttersprachlerin aus Großbritannien mit MA der Universität Oxford und fünf Jahren Berufserfahrung in einer Sprachschule sucht einen Job als Lehrerin für Business-Englisch. Komme in Ihre Firma oder nach Hause, nachmittags und abends. Bitte melden unter: abigail@johnson.de

2

Mann mit viel Erfahrung als Koch und als Kellner sucht für Freitag, Samstag, Sonntag Arbeit im Service oder in der Küche. Ich komme auch in Ihr Haus und koche für Ihre Party!
Tel.: 0151/129 36 35 44

3

Arzthelferin mit sechs Jahren Berufserfahrung (zurzeit Mutter und Hausfrau) sucht Arbeitsstelle in einer Arztpraxis für zwei bis drei Tage pro Woche.
martaM@qmx.de

4

Liebe Eltern, ich bin Auszubildende, 16 Jahre alt und mag Kinder. Für zwei Abende in der Woche suche ich einen Job als Babysitterin. Ich arbeite seit zwei Jahren als Babysitterin und kann auch kochen. Franzi
Tel.: 0911/567 84 oder franzi@webb.de

b Lesen Sie die Anzeigen noch einmal und markieren Sie: Wer sucht einen Job und was kann die Person? Welchen Job sucht die Person? Wann kann die Person arbeiten?

2 Eine Anzeige für einen Job

a Lesen Sie die Fragen und notieren Sie.

1 Wer sind Sie und was können Sie? ______________________
2 Welchen Job suchen Sie? ______________________
3 Wann haben Sie Zeit? ______________________

b Schreiben Sie eine Anzeige für das Internet.
Schreiben Sie auch eine passende Überschrift.

Kellnerin gesucht?
Ich bin ...

A Sie **müssen** einen Antrag **ausfüllen**.

A1 **1 Was ist richtig? Kreuzen Sie an.**

a ○ Ich ☒ Du musst 10 Euro bezahlen.
b ○ Wir ○ Ihr müssen den Antrag ausfüllen.
c ○ Sie ○ Er müssen einen internationalen Führerschein haben.
d ○ Du ○ Ihr müsst hier unterschreiben.
e ○ Wir ○ Maria muss eine Fahrkarte kaufen.
f ○ Ich ○ Jan und Eva muss viele Papiere zum Amt mitbringen.

A1 **2 Schreiben Sie Sätze und ergänzen Sie die Tabelle.**

Grammatik entdecken

a Sie – das Formular – müssen – ausfüllen – .
b Wo – den Ausweis – kann – abholen – ich – ?
c wir – Was – mitbringen – müssen – ?
d er – muss – hier – machen – Was – ?
e schnell – will – Ich – Deutsch – lernen – .
f am Samstag – arbeiten – du – Musst – ?

Sie	müssen	das Formular	ausfüllen	.

A1 **3 Satzakzent**

2 ◀)) 7 **a** Hören Sie und markieren Sie die Betonung: ___.

Phonetik

1
◆ Ich muss jetzt gehen.
○ Ach, nein!
◆ Doch, ich muss gehen. Ich muss noch einkaufen.

2
▲ Kannst du heute kommen?
□ Nein, tut mir leid.
▲ Du kannst kommen, da bin ich sicher, aber du willst nicht.

3
✚ Ich kann stricken.
● Das glaube ich nicht.
✚ Doch, ich kann stricken.

b Spielen Sie die Gespräche mit Ihrer Partnerin / Ihrem Partner.

A2 **4 Schreiben Sie Sätze mit *müssen* in der richtigen Form.**

A
den Antrag ausfüllen
Sie müssen ....
....
....

B
zuerst das Ziel wählen
Also, wir ....
....
....

C
aufstehen
Guten Morgen. Es ist 7 Uhr. Du ....
....

D
jetzt schlafen
Es ist schon spät. Ihr ....
....

◇ A2 5 Was ist richtig? Kreuzen Sie an.

◆ Sie ☒ können ○ müssen den Bus nicht nehmen. Die Fahrkarte ist hier nicht gültig.
○ Oh! Wo ○ will ○ kann ich die richtige Fahrkarte kaufen?
◆ Hier ist ein Fahrkartenautomat.
○ Danke. Und wie funktioniert er? Was ○ kann ○ muss ich hier machen?
▲ Sie ○ müssen ○ können zuerst ein Ziel wählen. Wohin ○ können ○ möchten Sie fahren?
○ Nach Mühlheim.
▲ Okay, und danach ○ müssen ○ wollen Sie auswählen: Erwachsener oder Kind ...

❖ A2 6 Ergänzen Sie in der richtigen Form: *können – müssen – wollen*.

a
◆ Anne! Du musst aufstehen, es ist sechs Uhr!
○ Aber ich ________ heute nicht aufstehen!

b
● Wir ________ jetzt Kuchen backen!
▲ Ihr ________ nicht gleich backen, ihr ________ noch die Küche aufräumen.

c
Kannst du heute bitte einkaufen?
Ich ________ lange arbeiten.

d
Mit 18 ________ man den Führerschein machen, aber man ________ nicht.

A3 7 Lösen Sie das Rätsel.

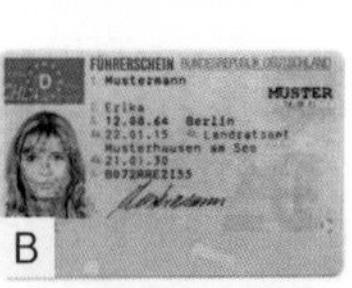

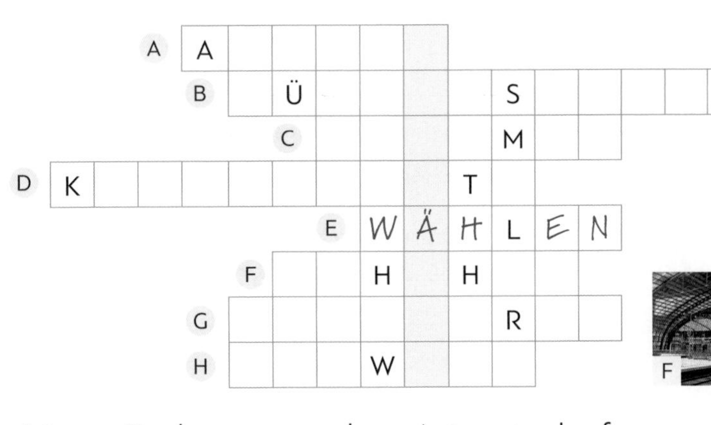

Lösung: Das kann man auch am Automaten kaufen: ________

F

A3 8 Den Führerschein machen: Was muss man machen? Schreiben Sie.

Schreib-training

einen Sehtest machen → eine Fahrschule suchen und dort Unterricht nehmen → zum Amt gehen und den Führerscheinantrag abholen → den Antrag ausfüllen und viel zum Amt mitbringen: den Sehtest, den Ausweis, ein Foto → die Führerscheinprüfung machen

Zuerst muss man ... Danach ...
Und dann ... Dann ...
Und man muss ... Zum Schluss ...

● die Prüfung = ● der Test

B Sieh mal!

B2 **9 Was ist richtig? Kreuzen Sie an.**

a ○ Siehst du mal: ☒ Sieh mal: Das Auto sieht toll aus!
b Wir gehen schwimmen. ○ Komm doch mit! ○ Du kommst mit?
c ○ Wählt ihr ○ Wählt zuerst das Ziel aus!
d ○ Bring ○ Bringst bitte deinen Ausweis mit!
e ○ Sei ○ Bist bitte pünktlich!
f ○ Nimmst ○ Nimm doch noch einen Apfel.

B2 **10 Streichen Sie und ergänzen Sie.**

Grammatik entdecken

	?	!	?	!
a	Schreib~~st du~~ bald?	*Schreib* bitte bald!	Schreibt ~~ihr~~ bald?	*Schreibt* bitte bald!
b	Rufst du an?	………… bitte an!	Ruft ihr an?	………… bitte an!
c	Arbeitest du heute?	………… nicht so viel!	Arbeitet ihr heute?	………… nicht so viel!
d	Holst du Kim ab?	………… bitte Kim ab!	Holt ihr Kim ab?	………… bitte Kim ab!
⚠ e	Lies~~t du~~ den Text?	*Lies* bitte den Text!	Lest ihr den Text?	………… bitte den Text!
⚠ f	Isst du gern Eis?	………… nicht so schnell!	Esst ihr gern Eis?	………… nicht so schnell!
⚠ g	Schl<u>ä</u>f~~st du~~ schon?	*Schlaf* gut!	Schlaft ihr schon?	………… gut!

B2 **11 Schreiben Sie.**

A

~~ein Buch lesen~~ | ins Museum gehen | fernsehen | für die Universität lernen

◆ Es regnet am Wochenende. Was kann ich dann machen?
○ *Lies doch ein Buch oder*
……………………………………

B

~~ins Kino gehen~~ | Tennis spielen | Freunde treffen | die Wohnung aufräumen

□ Was macht ihr heute Abend?
▲ Wir wissen es noch nicht. Was schlägst du vor?
□ *Geht doch ins Kino oder*
……………………………………

◇ **B2** **12 Ergänzen Sie.**

	Marcel, …	Marcel und Tanja, …
a (bitte Getränke mitbringen)	*bring bitte Getränke mit!*	*bringt bitte Getränke mit!*
b (nicht so lange schlafen)		
c (bitte zuhören)		
d (bitte die Handys ausmachen)		
e (bitte Pedro helfen)		

❖ B2 13 Was sagt Lina zu Mark und Caro? Ordnen Sie zu und ergänzen Sie in der richtigen Form.

nicht so laut sein | ~~den Flur aufräumen~~ | nicht immer meine Sachen essen | Caro die Übungen erklären | nicht so lange im Bad bleiben

A Räumt doch bitte den Flur auf!

B Mark!

C ……………

D …………… Ich muss lernen.

E …………… Caro schreibt morgen einen Test.

B3 14 Satzmelodie

2 ◀)) 8 **a** Hören Sie und ergänzen Sie die Satzmelodie: ↗ oder ↘.

Phonetik

1 Warten Sie einen Moment? ↗
2 Bitte hören Sie zu! ……
3 Machen Sie einen Deutschkurs! ……
4 Warten Sie einen Moment! ……
5 Bezahlen Sie an der Kasse? ……
6 Machen Sie viel Sport? ……

2 ◀)) 9 **b** Hören Sie noch einmal und sprechen Sie nach.

2 ◀)) 10 **c** Hören Sie und ergänzen Sie: *?* oder *!*

1 Kommen Sie heute ?
2 Essen Sie ein Brötchen ……
3 Lernen Sie jeden Tag zehn Wörter ……
4 Kommen Sie heute um fünf ……
5 Essen Sie einen Apfel ……
6 Lernen Sie jeden Tag eine Stunde ……

B3 15 Schreiben Sie Sätze in der *Sie*-Form.

a Ich bin so müde. (→ einen Kaffee trinken oder ein bisschen spazieren gehen)
Trinken Sie einen Kaffee oder gehen Sie ein bisschen spazieren.

b Ich spreche kein Deutsch. (→ einen Sprachkurs machen)
……………

c Ich suche eine Wohnung. (→ die Anzeigen in der Zeitung lesen)
……………

d Ich verstehe die Übung nicht. (→ Ihre Lehrerin fragen)
……………

e Heute fängt mein Deutschkurs an. (→ die Kursgebühren an der Kasse bezahlen)
……………

C Sie **dürfen** in der EU Auto **fahren**.

C1 16 Ergänzen Sie *dürfen* in der richtigen Form.

a Frau Kurz, Sie dürfen gern mit Kreditkarte bezahlen.
b .... ich Sie etwas fragen?
c Papa, ... wir jetzt fernsehen?
d Ihr .... kein Auto mieten. Ihr seid noch nicht 21.
e Sofia, du .... hier kein Eis essen.
f .... man hier fotografieren?

C2 17 Ordnen Sie zu.

Hier darf man nicht telefonieren. Hier darf man doch telefonieren. Wir müssen warten. Hier dürfen wir fahren. Wir dürfen nicht fahren. ~~Sie müssen das Handy ausmachen.~~ Aber man muss leise sprechen.

A

◆ Entschuldigung. Aber Sie müssen das Handy ausmachen.
○ Warum?
◆ ....

B

◆ Können Sie bitte leise sein?
○ Warum? ....
◆ Ja. ....

C

◆ Achtung! Es ist rot. Was müssen wir machen?
○ ....
◆ Genau! ....

D

◆ Guck mal. Ein Radweg!
○ ....

◇ **C2 18 Was ist richtig? Kreuzen Sie an.**

a Hier ☒ darf ○ muss man rauchen.
b Hier ○ darf ○ muss man nicht parken.
c Hier ○ darf ○ muss man die Zigarette ausmachen.
d Hier ○ darf ○ muss man parken.
e Hier ○ dürfen ○ müssen Autos nicht fahren.
f Hier ○ darf ○ muss man langsam fahren.

C2 19 Ein Wochenende in Heidelberg

a Ergänzen Sie in der richtigen Form: *müssen – dürfen – wollen – können.*

◆ Hallo, Eva. Hier ist Miriam. Hör mal, Hanna und ich __wollen__ am Wochenende ein Auto mieten und nach Heidelberg fahren. ____________ du mitkommen?

○ Gern. Aber am Freitag ____________ ich bis 20 Uhr arbeiten.

◆ Kein Problem. Wir fahren erst am Samstagvormittag. ____________ du bitte ein Picknick für die Fahrt mitbringen?

○ Ja, klar. Und __darf__ mein Hund auch mitkommen?

◆ Hm, ich weiß nicht ... Ich glaube, wir ____________ die Autovermietung fragen. Ich ____________ dort ja mal anrufen.

○ Okay. Du rufst die Autovermietung an: Sind Hunde erlaubt? Dann kommen wir mit. ____________ Hunde nicht mitkommen? Dann bleibe ich auch zu Hause.

◆ Gut, Eva. Dann bis später! Tschüs.

2 🔊 11 **b** Hören Sie und vergleichen Sie.

C3 20 Im Schwimmbad

a Erlaubt oder verboten? Lesen Sie und kreuzen Sie an.

	Kinder mitbringen	parken	rauchen	Hunde mitbringen	Picknick machen
erlaubt	☒	○	○	○	○
verboten	○	○	○	○	○

Schwimmbad Harthausen – Informationen für Besucher

Öffnungszeiten

Das Schwimmbad ist jeden Tag von 9 bis 21 Uhr geöffnet. Bitte gehen Sie spätestens um 20.30 Uhr zu den Duschen.

Eintritt

Erwachsene: 5 Euro
Kinder (ab 6 Jahren) und Jugendliche: 4 Euro
Für Kinder bis 5 Jahre ist der Eintritt frei.

Parken

Kommen Sie mit dem Auto oder mit dem Fahrrad. In der Pappelallee gibt es Parkplätze.

Hygiene

Bitte duschen Sie vor dem Schwimmen!
Das Rauchen ist im Schwimmbad und auch im Café nicht erlaubt. Hunde sind nicht erlaubt.

Speisen und Getränke

Herzlich willkommen in unserem Café. Hier bieten wir kleine Speisen und Getränke an. Bitte essen und trinken Sie nur im Picknick-Bereich und im Garten.

Viel Spaß beim Schwimmen!

b Lesen Sie noch einmal und ergänzen Sie in der richtigen Form: *müssen – dürfen.*

1 Kinder bis fünf Jahre ____________ keinen Eintritt bezahlen.
2 Man ____________ in der Pappelallee parken.
3 Hunde ____________ nicht ins Schwimmbad.
4 Im Garten __darf__ man essen und trinken.

D Informationsbroschüre

D1 **21 Markieren Sie noch acht Wörter und ergänzen Sie dann.**

DEGEBÄUDEDENKAFEGEPÄCKALELFENTRUNDGANGMANSTADTPLAND
ERMÄẞIGUNGKALFEAUFERSENIORENMINDLISEHENSWÜRDIGKEITEN
HELUDAFÜHRUNGWULIGSCHRITTEGF

a Sie kennen Salzburg noch nicht und möchten die .... kennenlernen? Machen Sie eine Stadt.................... .
b Kinder, Schüler, Studenten und .... müssen nicht den Normalpreis bezahlen. Sie bekommen eine ....
c Auf dem Stadt.................... sehen Sie die wichtigsten Gebäude in Salzburg. Es sind immer nur ein paar ....
d Noch ein Tipp: In der Touristeninfo bekommen Sie einen .... – kostenlos! Und dort können Sie auch Ihr .... abgeben.

D2 **22 Grüße aus Salzburg: Schreiben Sie.**

Schreib-training

ein Museum besuchen → den Dom besichtigen → auf die Festung fahren → in die Oper gehen

E-Mail senden

Liebe Eltern,
viele Grüße aus Salzburg! Die Stadt ist sehr schön und interessant. Wir haben schon viel gemacht: Zuerst haben wir ....
Dann ....
Danach ....
Am Abend ....
Bis bald!
Viele Grüße
Silvia

D2 **23 Was ist richtig? Hören Sie und kreuzen Sie an.**

2 ◀)) 12

a W. A. Mozart ist 1756 in der Getreidegasse ☒ 9 ○ 17 in Salzburg geboren.
b Mozart hat dort ○ mit seinen Eltern ○ mit seinen Eltern und seiner Schwester gelebt.
c Das Haus ist schon seit ○ 1880 ○ 1818 ein Museum.
d Das Museum ist abends ○ geöffnet. ○ geschlossen.
e Die Touristen können das Mozarthaus am ○ Donnerstagvormittag ○ Donnerstagnachmittag besichtigen.
f Der Eintritt kostet für Senioren ○ 8 €. ○ 8,50 €.

LERNTIPP Lesen Sie zuerst die Aufgaben und hören Sie dann.

E Ein Hotelzimmer buchen

E2 24 Füllen Sie die Anmeldung im Hotel für Akito aus.

Prüfung

Ihr Freund heißt Akito Hirato und kommt aus Japan. Er ist am 24. 2. 1990 in Tokyo geboren. Jetzt wohnt er in Hannover (Schulstr. 24, 30159 Hannover, ak@gmail.jp). Er hat vom 12.–15. 6. ein Zimmer im Hotel „Rosengarten“ gebucht und möchte mit Kreditkarte zahlen.

Rezeption — *Hotel* **Rosengarten**

Ankunft am:	Wohnort:
Abreise am: 15. 6.	Straße, Hausnummer:
Name:	Geburtsdatum:
Vorname: Akito	E-Mail:
Postleitzahl:	Zahlungsweise: ○ bar ○ Kreditkarte

E3 25 Ergänzen Sie und vergleichen Sie.

A 

B 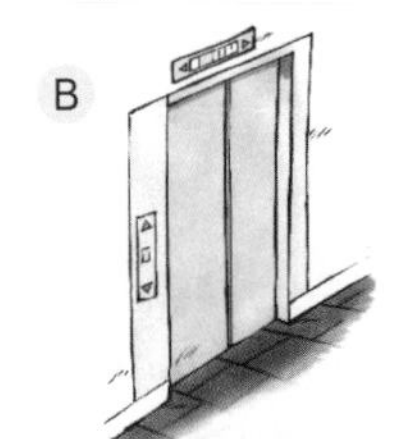

C 

D 

E 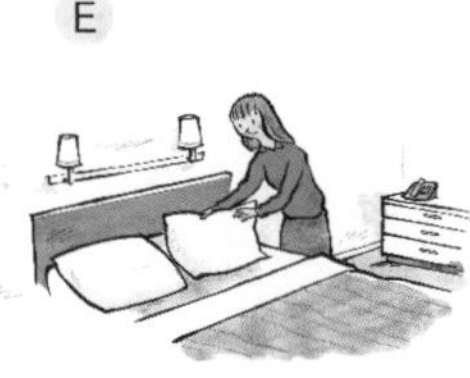

	Deutsch	Englisch	Meine Sprache
A	Z e n t r u m	centre	...
B	... if ...	lift/elevator	...
C	... ... r	terrace	...
D	... ... pt	reception	...
E	... o ... ... e ... z ... ... r	double room	...

E3 26 Ordnen Sie.

- ◯ ◆ Nur Frühstück, bitte.
- ◯ ◆ Ja, gern. Was kostet der Platz in der Garage?
- ① ● Guten Tag. Kann ich Ihnen helfen?
- ◯ ● Der Parkplatz ist für Gäste kostenlos.
- ◯ ◆ Das ist schön. Und wann muss ich auschecken?
- ◯ ● Also Halbpension ... gern. Ich brauche Ihren Ausweis und Sie müssen bitte das Formular ausfüllen.
- ◯ ● Um 12 Uhr. Haben Sie noch einen Wunsch?
- ◯ ◆ Nein, danke.
- ② ◆ Ja, bitte. Mein Name ist Giannini. Ich habe ein Einzelzimmer reserviert.
- ◯ ● Wir haben eine Garage. Möchten Sie Ihr Auto dort parken?
- ◯ ● Ah, Herr Giannini. Herzlich willkommen. Möchten Sie Vollpension oder Halbpension?
- ◯ ◆ Gut, das mache ich. Ich habe noch eine Frage: Haben Sie einen Parkplatz?

Test Lektion 9

1 Im Hotel. Finden Sie noch sieben Wörter und ordnen Sie zu.

1 ...... /7 Punkte

WÖRTER

MABEDOPPELZIMMERLOHUSCHLÜSSELFATREFRÜHSTÜCK
JULEANKUNFTZURIGASTDERUZKREDITKARTELÄPUTPASSFA
DEINZELZIMMERHURZ

a ● der: ....
b ● das: Doppelzimmer, ...
c ● die: ....

2 Ergänzen Sie.

2 ...... /3 Punkte

a Hier dürfen Sie nicht telefonieren.

b Hier dürfen Sie nicht .... !

c Sie dürfen das Gepäck hier ....

d Hier dürfen Sie nicht ....

...... ● 0–5 ● 6–7 ● 8–10

3 Ergänzen Sie in der richtigen Form.

3 ...... /5 Punkte

GRAMMATIK

a ◆ Dürfen (dürfen) wir fernsehen?
○ Zuerst .... (müssen) ihr die Hausaufgaben machen.

b ◆ Ich komme gern. .... (dürfen) ich meine Hunde mitbringen?
○ Natürlich .... (dürfen) du deine Hunde mitbringen. Gern!

c ◆ Sonja, du .... (müssen) Äpfel und Bananen kaufen.
○ Ich .... (müssen) Obst kaufen?! Ich esse doch gar kein Obst.

4 Schreiben Sie Bitten.

4 ...... /3 Punkte

a Sie müssen dort warten. Warten Sie bitte dort.
b Ihr müsst Frau Müller zuhören. ....
c Du musst pünktlich sein. ....
d Sie müssen den Pass zeigen. ....

...... ● 0–4 ● 5–6 ● 7–8

5 Ordnen Sie zu.

5 ...... /4 Punkte

KOMMUNIKATION

Möchten Sie Vollpension oder Halbpension | ~~Ich habe ein Einzelzimmer reserviert~~ | Ich brauche Ihren Ausweis | Wann muss ich am Sonntag auschecken | Hier ist Ihr Schlüssel

○ Guten Tag, mein Name ist Murty. Ich habe ein Einzelzimmer reserviert. (a)
◆ Herzlich willkommen. .... ? (b)
○ Nur Frühstück, das reicht.
◆ .... (c) und Sie müssen bitte das Formular ausfüllen.
○ Gut. .... ? (d)
◆ Um 12 Uhr. .... (e)
Sie haben Zimmer 303.
○ Danke.

...... ● 0–2 ● 3 ● 4

2 13

1 Mirko Kuhns Arbeitsplan

Mirko Kuhn ist Hausmeister. Er hat einen Arbeitsplan für den Tag. Aber sein Chef macht immer neue Termine.

a Was ist heute anders? Hören Sie und markieren Sie im Arbeitsplan.

b Hören Sie noch einmal und korrigieren Sie.

Arbeitsplan *Name:* Mirko Kuhn *Tag:* Mittwoch, 11.04.

09.00	Frau Mehnert, Parkallee 12
10.00	Mehnert
11.00	~~Büro, Termin mit Chef~~ Braun, Schillerstraße 27
12.00	Mittagspause
13.00	Schneider, Friedrichsallee 3
14.00	Schneider
15.00	Schneider
16.00	frei
17.00	

Braun, Schillerstraße 27

Zeman, Gartenstraße 17

Heimann, Klarastraße 3

2 Ordnen Sie zu.

A nicht verstehen / fragen  B verstehen 

A Wie bitte? ◯ Können Sie das bitte wiederholen? ◯ Stimmt das? ◯ Tut mir leid, ich verstehe Sie nicht. B Okay, ich verstehe. ◯ Nicht am Montag? ◯ Nicht um 18 Uhr? ◯ Richtig? ◯ Gut. Alles klar. ◯ Ich verstehe. ◯ Darf ich Sie etwas fragen?

3 Ergänzen Sie passende Sätze aus 2.

Achtung: Manchmal gibt es mehrere Lösungen.

Party-Service Müller
Mittwoch, 10.10.
Hemmerichs: 18.00 Uhr

a
- ◆ Der Chef ist heute nicht da. ....
- ○ Ja, er ist erst morgen wieder da.
- ◆ ....

b
- ▲ Fahren Sie bitte noch in die Schillerstraße zu Familie Braun.
- ◆ ....
- ▲ In die Schillerstraße zu Braun.

c
- ▲ Bringen Sie bitte alles um 19 Uhr zu Hemmerichs.
- ◆ ....
- ▲ Nein, erst um 19 Uhr.
- ◆ ....
  Bis morgen also.
- ▲ Gut. Alles klar.

A Ihr Auge tut weh.

A1 **1 Lösen Sie das Rätsel.**

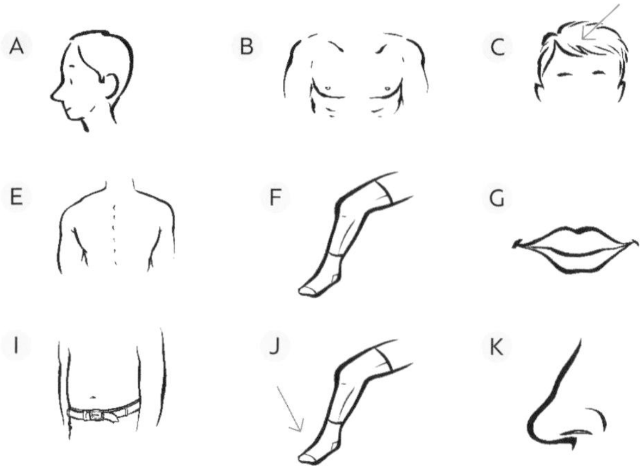

A B C D E F G H I J K

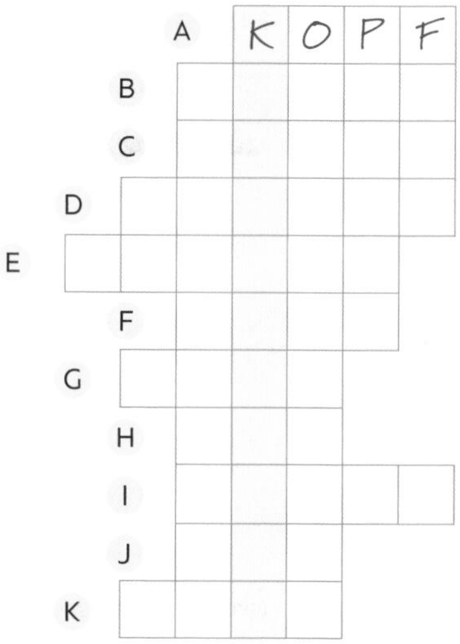

A K O P F

Lösung: ...

A1 **2 Ergänzen Sie Wörter aus 1 mit • *der* – • *das* – • *die* und • *die* und vergleichen Sie.**

Deutsch	C • die Haare	D	H	K
Englisch	hair	finger	ear	nose
Meine Sprache				

A1 **3 Ergänzen Sie: *mein – meine – dein – deine – Ihr – Ihre.***

Wiederholung A1, L2

a
◆ Tag, Frau Müller. Ist das Ihre ... Tochter?
○ Nein, das ist ... kleine Schwester.

b
▲ Klara, warte mal, ... Freund Niko ist am Telefon.
□ Das ist doch nicht ... Freund!

c
✚ Einen Moment bitte, Frau Abt, ... Mann ist am Telefon.
● Wer? ... Mann? Danke, Frau Schneider.

d
◆ ... Augen sind ja ganz grün!

e
○ Wie alt sind ... Kinder?
▲ Sieben und elf.

A2 **4 Was ist richtig? Kreuzen Sie an.**

a Alba hatte einen Unfall. ☒ Ihr ○ Sein Bein tut weh.
b Tomoko hat Schmerzen. ○ Ihr ○ Sein Hals tut weh.
c Kweku kann nicht Fußball spielen. ○ Ihr ○ Sein Arm tut weh. 
d Ben kann heute nicht Tennis spielen. ○ Ihre ○ Seine Hand tut weh.

A2 **5 Markieren Sie und ergänzen Sie Pfeile.**

Grammatik entdecken

A

Réka

Ihr Vater lebt in Westungarn.

Ihr Hobby ist Tanzen.

Ihre Mutter lebt in Eger.

Ihre Eltern sind geschieden.

B

Hung

Sein Bruder heißt Minh.

Sein Hobby ist Badminton spielen.

Seine Frau heißt Lan.

Seine Kinder sind 13 und 15 Jahre.

A2 **6 Ergänzen Sie: *sein – seine – ihr – ihre*.**

Das ist meine Freundin Meene aus Indien. Ich kenne sie aus dem Tennisklub. Tennis spielen ist ihr Hobby. Sie ist verheiratet und sie hat zwei Kinder: ______ Tochter ist zehn Jahre alt und ______ Sohn ist acht. ______ Kinder spielen auch gern Tennis. ______ Mann Raghav spielt nicht so gern Tennis. ______ Hobby ist Gitarrespielen. Früher haben Raghav und ______ Vater oft zusammen Gitarre gespielt. Aber ______ Eltern leben nicht in Deutschland. Sie leben in den USA. Dort lebt auch ______ Schwester. ______ Mann ist Amerikaner.

◇ A2 **7 Ergänzen Sie: *-e* oder /.**

a Sandro kommt heute etwas später. Sein/ Sohn muss zum Arzt.
b Hakan arbeitet als Polizist in Berlin. Sein___ Chef ist sehr freundlich und sein___ Kollegen sind auch sehr nett.
c Vor zwei Tagen haben wir Sam besucht. Sein___ Wohnung ist sehr schön.
d Ilena kann nicht zum Deutschkurs kommen. Ihr___ Eltern besuchen Sie.
e Meine Freundin hat zwei Kinder, ihr___ Sohn heißt Leo und ihr___ Tochter heißt Lena.

◆ A2 **8 Was erzählt Marina? Schreiben Sie.**

Name: Ivano
aus Italien
Ivano: sehr nett und lustig
ganze Familie: seit 25 Jahren in Deutschland
Schwester und drei Brüder in Deutschland geboren
Schwester: hat ein Restaurant
Restaurant: am Schillerplatz
Pizzen: sehr lecker
dort: Ivano kennenlernen
dann: heiraten

◇ Hallo Marina, wie geht es dir?
● Super! Ich habe am Wochenende geheiratet.
◇ Wirklich? Wen denn? Erzähl mal.
● Also, sein Name ist …

B **Unsere** Augen sind so blau.

B2 **9 Ordnen Sie zu.** Ihr Unser eure euer ihre ~~Unser~~ unsere

A
Frau Schulte ist krank. Unser Deutschkurs fällt aus. Informierst du bitte Kiril? Danke! Asma

B
Liebe Maria, ich bin wieder gesund, aber nun sind .... Kinder krank. Ich kann also nicht kommen. .... Treffen muss leider ausfallen. Nächste Woche bin ich hoffentlich wieder da. Grüße Rosina

C
Hallo ihr zwei, was machen .... Töchter? Sind .... Freundinnen aus Spanien schon da? Gruß Ina

D
Hallo Leo und Mona, wie war .... Ausflug? Seid ihr schon zu Hause? LG Mama

E
Elke und Rainer können am Wochenende doch nicht kommen. .... Sohn ist seit zwei Tagen krank. Küsse von Peter

◇ B2 **10 Was ist richtig? Kreuzen Sie an.**

A

☒ Unsere ○ Eure Lehrerin ist super, oder?

B

Seht mal, da kommt ○ unser ○ euer Bus.

C

▲ ○ Unsere ○ Ihre Augen sind nicht mehr so gut, aber ○ eure ○ unsere Ohren hören alles, oder Theodor?
□ Was sagst du?

D

Sind das ○ ihre ○ eure Fahrräder?

❖ B2 **11 Ergänzen Sie in der richtigen Form: *unser – euer – ihr.***

◆ Sieh mal. Das sind meine beiden Brüder Anton und Max. Und das sind unsere Eltern.
○ Ist das .... Oma?
◆ Ja, und das ist .... Opa.
○ Was war .... Opa denn von Beruf?
◆ Er war Verkäufer. .... Großeltern hatten einen Gemüseladen. Hier, das ist .... Gemüseladen.
○ Und gibt es den Laden heute noch?
◆ Nein, ... Vater hat den Laden verkauft. Heute ist dort ein Reisebüro.

B2 12 *unser* oder *unseren*?

Grammatik entdecken

a Ordnen Sie zu.

unseren Hund | euer Auto | eure Bücher | ihre Telefonnummer | unser Auto | unsere Kinder | ~~deinen Stift~~

1
Jo, warte! Ich habe noch deinen Stift !
Und ihr habt .... vergessen.

3
◻ Wo ist denn Balou? Hast du .... gesehen?
✚ Balou ist im Garten.

2
▲ Rufst du bitte Klaus und Silvia noch an?
◻ Ja, hast du .... ?
◆ Ja, und sag ihnen, wir bringen am Samstag .... mit.

4
◆ Mama, kann ich heute Abend vielleicht .... haben?
◻ Ich brauche .... nicht, aber frag bitte auch Papa.

b Markieren Sie in a: Wen?/Was? Ergänzen Sie dann.

• einen	meinen	deinen	seinen	ihren		euren	ihren	Stift, Hund
• ein	mein	dein	sein	ihr			ihr	Auto
• eine	meine	deine	seine	ihre	unsere	eure		Telefonnummer
• –	meine	deine	seine	ihre			ihre	Bücher, Kinder

B2 13 Ergänzen Sie.

a
◆ Hast du dein Geld und d............ Pass?
○ Ja, Schatz, ich habe m............ Geld und m............ Pass.

b
Tragen Sie bitte I............ Namen und I............ Adresse in das Formular ein.

c
◆ Lars und Svea, sind das eure Schlüssel?
○ Oh, Svea! Wir haben u............ Schlüssel vergessen.

d
◆ Hast du u............ Hund gesehen?
○ Guckt mal! Ist das e............ Hund?

C Ich **soll** Schmerztabletten **nehmen**.

C2 14 Ergänzen Sie *sollen* in der richtigen Form.

a .... ich wirklich zwei Tage zu Hause bleiben?
b Du .... ein paar Schritte gehen.
c Er .... Sarah die Medizin morgens, mittags und abends geben.
d .... wir immer noch leise sein?
e Ihr .... nicht so viel trainieren.
f .... die Kinder wirklich die Tabletten nehmen?
g Frau Erl, Sie sollen im Wartebereich warten.

C2 15 Ergänzen Sie die Sätze aus 14.

Grammatik entdecken

Frau Erl, Sie	sollen	im Wartebereich	warten	.

C2 16 Schreiben Sie die Sätze neu.

Wie bitte?

a Geh nicht so spät ins Bett! — Du sollst nicht so spät ins Bett gehen.
b .... — Du sollst endlich aufstehen.
c .... — Ihr sollt leise sein.
d Füllen Sie bitte den Antrag aus! — ....
e .... — Sie sollen „Ja“ oder „Nein“ ankreuzen.
f .... — Sie sollen zum Chef kommen.
g Wartet bitte hier! — ....
h .... — Du sollst nicht so viel Schokolade essen.

C3 17 Ordnen Sie zu.

darf soll soll ~~Sollst~~ Willst soll Willst

a
◆ Na, was hat die Ärztin gesagt? Sollst du im Bett bleiben?
○ Nein, aber ich .... meinen Hals warm halten.

b
▲ Wie geht es Lukas?
□ Nicht so gut. Er .... Schmerztabletten nehmen und er .... leider nicht Fußball spielen.

c
◆ Anja und ich gehen morgen in die Berge. .... du auch mitkommen?
▲ Nein, mein Fuß tut weh. Der Arzt sagt, ich .... zu Hause bleiben.

d
Du siehst krank aus. Du hast bestimmt Fieber. .... du nicht lieber zum Arzt gehen?

◇ C3 18 Verbinden Sie.

a Sagen Sie Herrn Mujevis, er soll — 5
b Ihre Hand sieht ja schlimm aus. Sie müssen
c Wir haben keine Milch mehr. Kannst du
d Das ist verboten. Du darfst
e Ich bin müde. Ich muss
f Der Arzt hat gesagt, ich soll

1 bitte einen Liter kaufen?
2 hier nicht rauchen.
3 meine Ohren warm halten.
4 die Salbe hier verwenden.
5 bitte in mein Büro kommen.
6 jetzt meinen Computer ausmachen.

❖ C3 19 Ergänzen Sie die Gespräche mit *müssen – sollen – können – dürfen – wollen* in der richtigen Form.

viel trinken | bis 20.00 Uhr arbeiten | ~~Cola trinken~~ | mitkommen | hier nicht telefonieren | Handy ausmachen | leider nicht mitkommen | Tee trinken

A

◆ Der Arzt hat gesagt, ...
○ Können wir Cola trinken?
▲ Nein. ....

B

▲ Entschuldigung. Sie ....
Sie ....
□ Oh, tut mir leid.

C

Kino?
arbeiten

✚ Sabine und ich gehen jetzt ins Kino. ....?
● Tut mir leid, ... Ich ....

C4 20 Gesundheitstag

2 14 **a** Was ist richtig? Hören Sie und kreuzen Sie an.

1 Herr Elber hat ○ Zahnschmerzen. ○ Schlafprobleme.
2 Frau Hallberg hat ○ Schnupfen. ○ Kopfschmerzen.

1

2

b Was ist richtig? Hören Sie noch einmal und korrigieren Sie.

1 Herr Elber schläft seit zehn ~~Tagen~~ nicht gut. — Wochen
2 Er hat gerade keinen Job. ....
3 Dr. Blum sagt: Er soll morgens spazieren gehen. ....
4 Frau Hallberg hat seit zwei Wochen Kopfschmerzen. ....
5 In ihrer Freizeit kocht sie oder surft im Internet. ....
6 Sie soll abends Freunde treffen oder früh ins Bett gehen. ....

D Eine Anfrage schreiben

D3 **21 Ordnen Sie zu.**

~~Bauernhof~~ Menschen beobachten Lebensmittel Wald ~~wenig~~ Kursleiterin dick Müsli Ruhige

________ Stunden im ________: Tiere ________, interessante ________ kennenlernen, den Stress vergessen, ... Kommen Sie mit! Immer freitags um 16 Uhr im Stadtwald. Am 16. 4. Extra-Angebot: Ausflug zum Demetra-Bauernhof in Brix! Kurs-Nr. 7765

NATUR

Welche ________ sind gesund, welche machen ________? Ist wenig Fleisch essen gesund oder nur Mode? Und wie kann ich auch jeden Tag im Büro gesund essen? Antworten auf diese Fragen gibt Ihnen ________ Eva Martens im Kurs-Nr. 4532 „Nur ________ und Gemüse? Gesund essen – was heißt das?"

GESUND ESSEN

D4 **22 Einen Brief schreiben**

a Markieren Sie noch sechs Wörter.

DEKUABSENDEROLAUANREDEDAMPOEMPFÄNGERPELOSAMORTTIEMER GRUSSNUDATBETREFFEKODATUMUMA

b Ordnen Sie die Wörter aus a zu und ergänzen Sie: • *der* – • *das* – • *die*.

1 Diese Person schreibt den Brief: ________
2 Diese Person bekommt den Brief: ________
3 Ein anderes Wort für „die Stadt": ________
4 Wann schreiben Sie den Brief?: ________
5 Warum schreiben Sie den Brief?: ________
6 Das schreiben Sie vor dem Brieftext: ________
7 Das schreiben Sie nach dem Brieftext: • der Gruß

D4 **23 Ordnen Sie zu.**

~~Sehr geehrte Frau Winter~~ Sehr geehrte Damen und Herren Lieber Jakob Mit freundlichen Grüßen Hallo Susan Sehr geehrter Herr Sommer Liebe Klara Viele Grüße

Firma Weber AG
z.H. Herrn Haslbeck
Seestr. 25
12679 Gründingen

Jakob Rusch
Bachstraße 4
57537 Dellingen

	Sie sagen „Sie":	Sie sagen „du":
Anrede	Sehr geehrte Frau Winter	
Gruß		

D5 24 Lesen Sie die Anzeige. Was ist richtig? Kreuzen Sie an.

Lassen Sie Ihren Stress zu Hause!

Kommen Sie ins Wellnesshotel „Zur Mühle"!

Hier finden Sie Ruhe und Entspannung. Machen Sie lange Spaziergänge im Wald oder liegen Sie einfach nur auf unserer großen, ruhigen Sonnenterrasse.

Unser Schwimmbad und das Fitness-Studio sind 24 Stunden für Sie geöffnet. In die Sauna können Sie täglich von 16 Uhr bis 22 Uhr gehen.
Wir haben auch einen Arzt und eine Physiotherapeutin im Haus. Sie helfen Ihnen gern – immer montags und donnerstags von 8 bis 12 Uhr.
Zum Frühstück ein gesundes Müsli mit Obst? Am Mittag und zum Abendessen frische Salate, viel Gemüse und wenig Fleisch? Das alles finden Sie in unserem Gourmetrestaurant.

Im Frühjahr Ermäßigung für Familien.
Im Herbst Ermäßigung für Senioren.

Schreiben Sie uns: Wellnesshotel „Zur Mühle"
Kufsteiner Str. 6, A-5324 Hintersee
info@wellnesszurmuehle.at

a ☒ Die Hotelgäste können das Fitness-Studio Tag und Nacht benutzen.
b ○ Eine Physiotherapeutin arbeitet acht Stunden pro Woche im Hotel.
c ○ Im Restaurant kann man kein Fleisch essen.
d ○ Im Frühjahr gibt es billige Angebote für Familien.
e ○ Das Hotel liegt in der Schweiz.

D5 25 Schreiben Sie eine Anfrage. Denken Sie auch an Anrede und Gruß.

Schreibtraining

E-Mail senden

....,
wir möchten gern im Sommer für ....
.... Urlaub in Ihrem Hotel machen.
Wir sind ....
.... Ich habe noch ein paar Fragen:
Wie viel ....
..................? Gibt es ....
....
..................? Haben Können wir ....
....?
Vielen Dank. ....
....

Wann kommen Sie? (Sommer)
Für wie lange? (zwei Wochen)
Wie viele Erwachsene/Kinder? (zwei/zwei)
Preis für Doppelzimmer?
Ermäßigung für Kinder?
Hund mitbringen?

LERNTIPP Überlegen Sie vor dem Schreiben: Wie gut kenne ich den Empfänger? Sage ich *du* oder *Sie*? Wählen Sie dann eine passende Anrede und einen Gruß.

E3 26 Einen Termin beim Arzt vereinbaren

a Wer sagt was? Lesen Sie und ergänzen Sie: Arztpraxis (A) oder Patient (P).

- ◯ ...... Ja natürlich, Herr Benedetti. Wann haben Sie denn Zeit?
- ◯ ...... Hm, erst nächste Woche? Kann ich nicht früher kommen? Es ist dringend.
- ① A Praxis Dr. Rubeck, Juliane Willer, guten Tag.
- ◯ ...... Freitag also, vielen Dank, Frau Willer, das ist sehr nett. Auf Wiederhören.
- ◯ ...... Auf Wiederhören, Herr Benedetti!
- ◯ ...... Heute und morgen geht es leider nicht. Aber nächste Woche am Montag um 10:30 Uhr ist ein Termin frei.
- ② P Guten Tag, Frau Willer, hier ist Silvano Benedetti. Könnte ich bitte einen Termin bei Frau Dr. Rubeck haben?
- ◯ ...... Ich habe heute oder morgen Zeit.
- ◯ ...... Nein, das geht nicht ... Hm, na gut, kommen Sie am Freitag um 16 Uhr.

b Ordnen Sie das Gespräch.

2 🔊 15 c Hören Sie und vergleichen Sie.

E3 27 Ergänzen Sie die E-Mail.

Schreibtraining

E-Mail senden

Benedetti11@f-online.de

PraxisRubeck@oal.com

Betreff: Termin verschieben

Sehr geehrte Frau Willer (geehrte – Frau – Sehr),

Leider ....

.... (am Freitag – doch nicht – kommen – 16 Uhr – ich – können).

Ich .... (bleiben – bis 17:30 Uhr – im Büro – müssen).

Können .... (den Termin – verschieben – wir – bitte)?

Um 18 Uhr .... (Zeit – ich – haben). Vielen Dank.

.... (Grüßen – freundlichen – Mit)

Silvano Benedetti

E3 28 Was ist richtig? Hören Sie und kreuzen Sie an.

2 🔊 16

a ☒ Frau Rösner ruft eine Praxis für Physiotherapie an.
b ○ Sie möchte den Termin am Freitag um sechs Uhr absagen.
c ○ Sie möchte einen neuen Termin vereinbaren.
d ○ Herr Anderson bietet einen Termin am Montagnachmittag an.
e ○ Frau Rösner möchte gern vormittags kommen.
f ○ Nur am Donnerstag ist ein Termin frei.
g ○ Der Termin am Donnerstag um halb vier passt Frau Rösner gut.

E4 29 Was ist richtig? Hören Sie und kreuzen Sie an.

2 🔊 17–19
Prüfung

Sie hören jeden Text zweimal.

1 Wann haben Alex und Sergej Fußballtraining?

a ○ Heute. 

b ○ Morgen. 

c ○ Am Donnerstag. 

2 Für wann hat die Arzthelferin Frau Bönisch in den Terminplan geschrieben?

Sa / So / Mo Lea Bönisch 9.15 Uhr / Di / Mi

So / Mo / Di Lea Bönisch 9.15 Uhr / Mi / Do

Di / Mi / Do Lea Bönisch 9.15 Uhr / Fr

a ○ Für Montag.
b ○ Für Dienstag.
c ○ Für Donnerstag.

3 Wie ist die neue Telefonnummer?

a ○ 87 34 56
b ○ 78 34 65
c ○ 78 34 56

E4 30 Hören Sie und sprechen Sie nach.

2 🔊 20
Phonetik

Haus – aus | Hund – und | hier – ihr | haben – Abend | am Abend | heute Abend | um ein Uhr | Otto und ich | Hans und Anna

Hast du heute gearbeitet? – Am Wochenende nie!
Mein Hals tut weh. – Warst du schon beim Arzt?
Was macht Ihre Hand, Herr Albers? – Meine Hand ist wieder okay.

Test Lektion 10

1 Was passt nicht? Streichen Sie.

1 ...... /5 Punkte — WÖRTER

a das Ohr – die Nase – ~~die Hand~~ – das Auge
b der Schnupfen – der Husten – die Tablette – das Fieber
c die Schritte – die Augen – die Arme – die Ohren
d kühlen – wehtun – schlafen – warm halten
e der Absender – der Empfänger – die Anrede – der Kursleiter
f der Unfall – der Kuss – die Schmerzen – die Notaufnahme

0–2 / 3 / 4–5

2 Was ist richtig? Kreuzen Sie an.

2 ...... /7 Punkte — GRAMMATIK

☒ *Unser* ○ *Unsere* ○ *Ihr* *Sommer* (a)
Im Sommer waren ○ dein ○ meine ○ deine Schwester (b) und ich in Griechenland. ○ Unser ○ Unsere ○ Ihre Familie (c) kommt aus Griechenland. Wir haben ○ euer ○ unseren ○ euren Bruder Jorgos (d) in Kavala besucht. Dort sind wir alle geboren. ○ Unser ○ Ihre ○ Unsere Eltern (e) wohnen jetzt in Athen. Jorgos lebt aber nicht allein in Kavala: ○ Ihre ○ Seine ○ Ihr Frau Sofia (f) und Sofias Vater leben auch da. Ich habe ○ sein ○ ihren ○ euren Vater (g) im Sommer das erste Mal getroffen. Er ist sehr lustig. Wir hatten viel Spaß. Und wie war ○ euer ○ unser ○ ihre Sommer (h)?

3 Was hat der Arzt gesagt? Schreiben Sie Sätze mit *sollen*.

3 ...... /5 Punkte

a *Ihr sollt Tabletten nehmen.* (Tabletten – ihr – nehmen)
b .... (eine Salbe – ich – kaufen)
c .... (wir – machen – Sport)
d .... (viel – trinken – Tee – Ida)
e .... (kühlen – Bein – du – dein)
f ....
(im Bett – Flavia und Sofie – bleiben)

0–6 / 7–9 / 10–12

4 Ordnen Sie.

4 ...... /6 Punkte — KOMMUNIKATION

○ ◆ Wann haben Sie denn Zeit? Morgen Vormittag haben wir noch einen Termin frei.
① ◆ Praxis Doktor Stein, guten Morgen.
○ ● Kann ich früher kommen? Es ist dringend.
○ ● In Ordnung. Bis gleich.
○ ◆ Dann kommen Sie doch in einer halben Stunde.
○ ● Guten Morgen, Petersen hier. Könnte ich bitte einen Termin haben?
○ ● Das passt sehr gut, danke. Dann komme ich gleich vorbei.

0–3 / 4 / 5–6

1 Verbinden Sie.

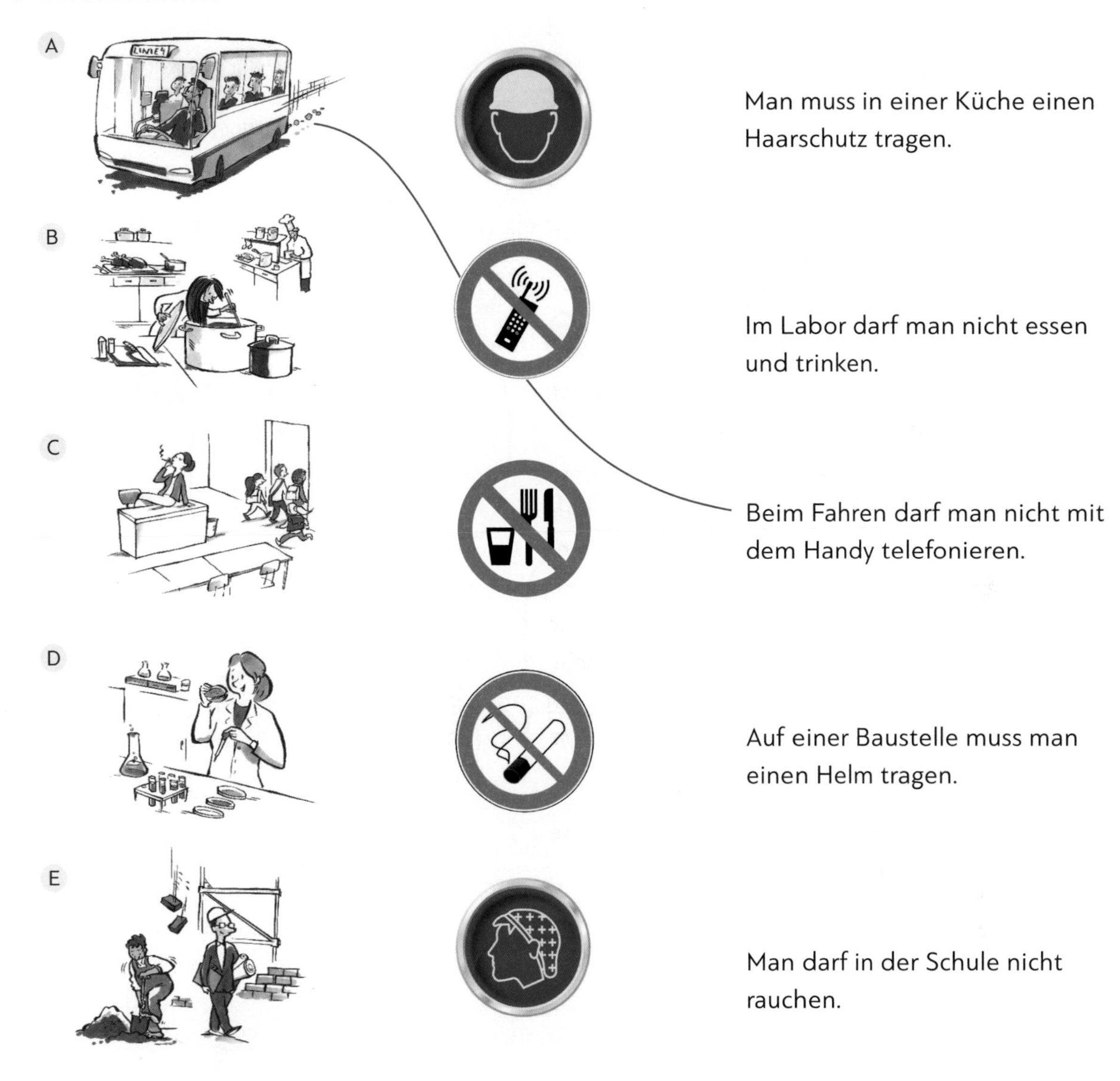

2 Was dürfen Sie nicht? / Was müssen Sie bei Ihrer Arbeit?

Erzählen Sie.

Ich arbeite in einem Kindergarten. Da darf ich natürlich nicht rauchen. Und ich darf nicht mit meinem Handy telefonieren.

3 Was bedeuten diese Schilder?

Erklären Sie.

Das Schild A findet man zum Beispiel in einer Bibliothek. Hier muss man leise sein. Man darf nicht sprechen.

A

Bitte Ruhe!

B Notausgang

C Feuerlöscher

D Schutzbrille tragen!

E Notfalltelefon

F Betreten verboten!

A Fahren Sie dann **nach links**.

A2 **1 Wie heißen die Wörter? Ergänzen Sie mit • *der* – • *das* – • *die*.**

a SEMUUM • das Museum
b GEMEREITZ ....
c LETANKSTEL ....
d WRKSTTAET ....
e LETOH ....
f STPO ....
g BHNAHFO ....
h KERÜBC ....

A3 **2 Wo ist hier ...? Hören Sie und zeichnen Sie die Wege in den Stadtplan.**

2 21–23

a die Post
b die Apotheke
c das Hotel

KINO

Sie sind hier.

A3 **3 Ergänzen Sie in der richtigen Form.**

a Fahren Sie die dritte (drei) Straße rechts.
b Fahren Sie die .... (zwei) Straße ....
c Fahren Sie 300 Meter .... und dann ....

A3 **4 Ordnen Sie zu.**

in der Nähe | Ich suche | ~~wo ist hier~~ | auch fremd hier | hier rechts | dann an der Ampel links | Fahren Sie | Wo ist bitte

a
◆ Entschuldigung, wo ist hier das Kino?
○ .... immer geradeaus.

b
✚ Ist hier ein Supermarkt .... ?
● Tut mir leid, ich bin ....
....

c
▲ .... den Bahnhof.
◻ Gehen Sie ....

d
◆ .... die Autobahn?
◻ Fahren Sie zuerst geradeaus und ....
....

B Wir fahren **mit dem Auto**.

B1 **5 Finden Sie noch acht Verkehrsmittel und ergänzen Sie mit • *der* – • *das* – • *die*.**

S	T	R	A	ß	E	N	B	A	H	N
A	U	T	O	T	O	C	U	X	E	T
ß	C	H	W	E	ß	T	S	E	G	R
F	L	U	G	Z	E	U	G	B	S	A
A	M	U	T	T	L	-	M	R	O	R
H	U	-	B	A	H	N	L	A	H	E
R	C	B	O	S	S	-	B	A	H	N
R	B	A	M	Z	E	O	P	A	R	B
A	O	H	A	U	K	I	U	D	E	A
D	S	L	H	G	T	A	X	I	R	H

• das Auto
....
....
....
....
....
....
....
....

B1 **6 Ordnen Sie die Wörter aus 5 zu und ergänzen Sie in der richtigen Form.**

Grammatik entdecken

	• der	• das	• die
Ich fahre/fliege mit ...	....	dem Auto	....
	....	....	....
		....	....
		....	

B2 **7 Ergänzen Sie: *zum* – *zur*.**

Heute ist Herr Roth in der Stadt: Zuerst bringt er Briefe zur Post. Dann fährt er .... Bahnhof und trifft einen Freund. Sie gehen .... Café Eckstein und essen Kuchen. Danach kauft Herr Roth ein: Er geht .... Metzgerei und zum Schluss .... Obst- und Gemüseladen.

◇ B2 **8 Ergänzen Sie: *mit dem* – *mit der* – *zum* – *zur*.**

a ◆ Am Samstag sind wir mit dem Fahrrad .... Museum gefahren.
○ Wirklich? Das ist aber weit. Warum seid ihr nicht .... Bus gefahren?
◆ Ach, das Wetter war so schön.

b ◆ Wie komme ich .... Werkstatt?
○ Fahren Sie immer geradeaus. .... Auto sind Sie in zwei Minuten dort.

c ◆ Kann ich zu Fuß .... Supermarkt gehen?
○ Nein. Das ist viel zu weit. Fahren Sie doch .... U-Bahn. Gleich an der nächsten Station ist der Supermarkt.

❖ B2 **9 Mit welchem Verkehrsmittel und wohin fährt/geht Frau Singer?**

2 ◀)) 24 a Hören Sie und verbinden Sie.

1	S-Bahn	Schule
2	Auto	Supermarkt
3	Fahrrad	Kreuzstraße
4	Zu Fuß	Bahnhof

b Schreiben Sie Sätze.

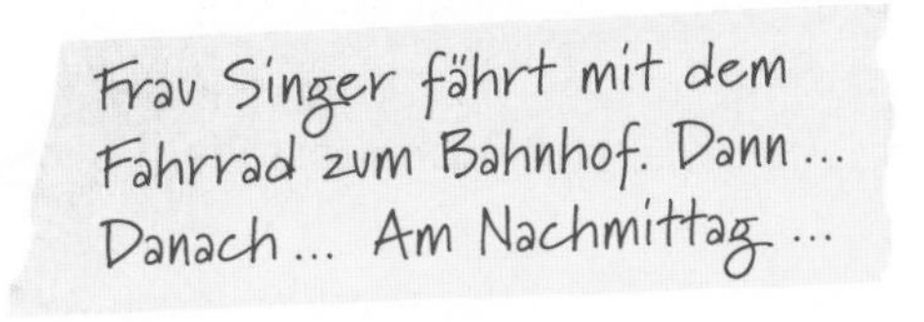

C Da! **Vor der Brücke** links.

C2 10 Ordnen Sie zu.

an ~~auf~~ hinter in neben über unter vor zwischen

A 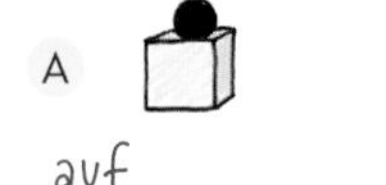 auf

B 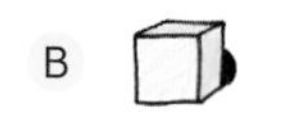 ....

C 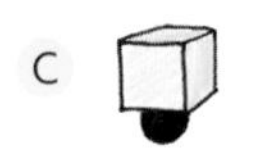 ....

D 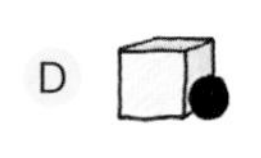 ....

E 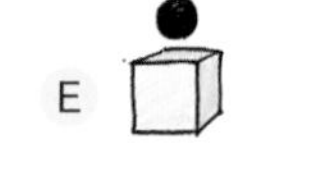 ....

F 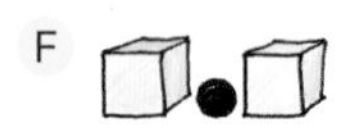 ....

G  ....

H  ....

I 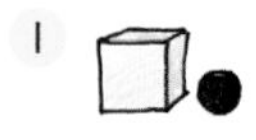 ....

◇ C2 11 Wo ist das Auto? Kreuzen Sie an.

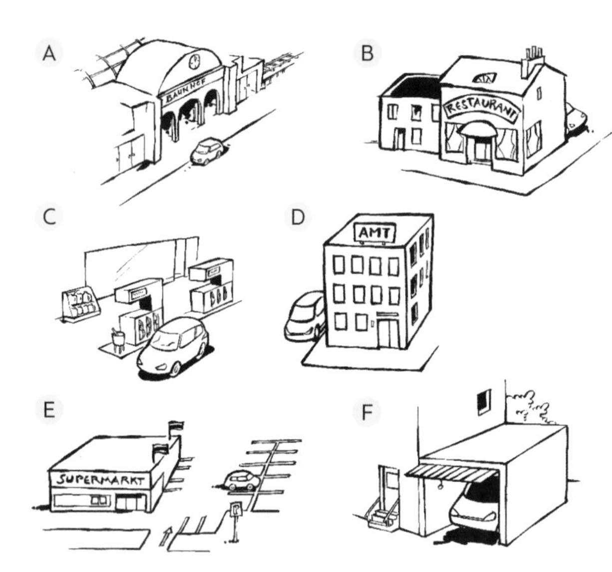

a Das Auto ist ☒ vor ○ neben dem Bahnhof.

b Das Auto ist ○ zwischen ○ hinter dem Restaurant.

c Das Auto ist ○ über ○ an der Tankstelle.

d Das Auto ist ○ neben ○ unter dem Amt.

e Das Auto ist ○ auf ○ in dem Parkplatz.

f Das Auto ist ○ unter ○ in der Garage.

❖ C2 12 Ergänzen Sie.

a Jens liegt im Bett.

b Das Auto steht .... der Garage.

c Schnuffel ist .... dem Sofa.

d Schnuffel ist .... dem Tisch.

e Die Apotheke ist .... der Post.

f Patricia wartet .... Mario.

g Eva wartet .... der Bushaltestelle.

h Die Schule ist .... der Bank.

C2 13 Wo ist der Einkaufszettel?

Grammatik entdecken

a Sehen Sie das Bild an und ergänzen Sie.

Der Einkaufszettel ist ...

1 unter dem Tisch.
2 .... Regal.
3 .... Uhr.
4 .... Milch.
5 .... Herd.
6 .... Flaschen.
7 .... Buch.
8 am Kühlschrank.
9 .... Büchern.

b Ordnen Sie aus a zu.

Wo?	der	das	die	die
an, auf, hinter, in, neben, über, unter, vor, zwischen	dem Tisch ⚠ am Kühlschrank	⚠		

C2 14 Sehen Sie das Bild an und ordnen Sie zu.

Neben der | Im | zwischen den | Vor dem | Hinter dem | ~~In der~~ | In der | Über der | unter den | Auf dem

In der Amalienstraße 40 gibt es eine Buchhandlung. .... Buchhandlung kann man Bücher kaufen. .... Buchhandlung ist eine Bäckerei. .... Buchhandlung und der Bäckerei ist die Praxis von Dr. Zahnstein. Die Praxis ist .... Wohnungen von Familie Georgos und Frau Schön. Sie ist also .... Wohnungen und der Buchhandlung und der Bäckerei. .... Haus sind eine Straße und ein kleiner Parkplatz. .... Parkplatz sind oft Autos. .... Haus ist ein Park mit vielen Bäumen. .... Park gibt es ein Café.

D Wir gehen **zu Walter** und holen das Auto.

D3 15 Wo warst du und wohin fährst du?

Grammatik entdecken

a Markieren Sie: Wo? und Wohin?

1
- ◆ Wo warst du am Samstag?
- ○ Ich war zuerst bei Paul im Garten und dann waren wir im Kino.

2
- ▲ Wohin fährst du?
- □ Ich fahre zu Felix. Wir gehen in den Park oder ins Kino.

3
- ✚ Was hast du gestern gemacht?
- ● Ich war in der Bäckerei und beim Zahnarzt.

4
- ◆ Was machst du heute?
- ○ Zuerst gehe ich zum Arzt und dann zur Apotheke.

5
- ▲ Wo hast du studiert?
- □ Zuerst in Italien, in Rom. Und dann in der Schweiz.

6
- ✚ Wohin fährst du im Sommer? Wieder nach Spanien?
- ● Nein, in die Türkei. Nach Izmir.

7
- ◆ Ich war gestern erst um drei Uhr morgens zu Hause. Die Party war echt super!
- ○ Mir hat die Party nicht gefallen! Ich bin schon um zehn Uhr nach Hause gegangen.

b Ordnen Sie aus a zu.

	Wo?		Wohin?	
Person	*bei*	Paul	*zu*	Felix
		Zahnarzt		Arzt
Geschäft		Bäckerei		Apotheke
„Haus"/Ort		Kino		Kino
	im	Garten	*in den*	Park
Land/Stadt		Italien		Spanien
		Schweiz		Türkei
		Rom		Izmir
	⚠	Hause	⚠	Hause

D3 16 Was ist richtig? Kreuzen Sie an.

a Fährt der Lkw ○ bei ☒ nach Ungarn?
b Ich gehe noch schnell ○ zur ○ nach Post.
c Im Herbst fahren wir ○ zur ○ in die USA.
d Warst du schon ○ beim ○ zum Arzt?
e Ulla sitzt ○ zum ○ im Garten und liest.
f Gehen wir später ○ im ○ ins Konzert?
g Heute Abend sind wir ○ nach ○ zu Hause.
h Am Freitag fahre ich ○ zu ○ bei Oma Ida.
i Ich bin müde. Ich gehe ○ zu ○ nach Hause.
j Lars arbeitet ○ in die ○ in der Schweiz.
k Wir haben ○ nach ○ in Wien studiert.

D3 17 Ordnen Sie zu.

Zur | im | ins | nach | ~~bei~~ | in | nach | zu | beim | zu | ins

a
- ◆ Wo warst du am Wochenende?
- ○ Ich war *bei* meinen Großeltern.

b
- ▲ Wohin gehst du denn?
- ◻ Ich gehe .... Denis.

c
- ✚ Wohin fährst du?
- ● .... Bäckerei, Brötchen kaufen.

d
- ◆ Was hast du gestern gemacht?
- ○ Ich war .... Deutschkurs und dann .... Arzt.

e
- ▲ Gehst du mit .... Museum?
- ◻ Ach, am Sonntag sind da so viele Leute.

f
- ✚ Wo wohnst du?
- ● Gleich hier, ... der Fußgängerzone.

g
- ◆ Fährst du bald wieder .... Prag?
- ○ Ja! Die Parks und die Brücken dort sind so schön.

h
- ▲ Bist du um 20 Uhr schon .... Hause?
- ◻ Nein, ich komme heute erst um 22 Uhr .... Hause. Ich gehe noch .... Konzert.

D3 18 Schreiben Sie.

Schreib-training

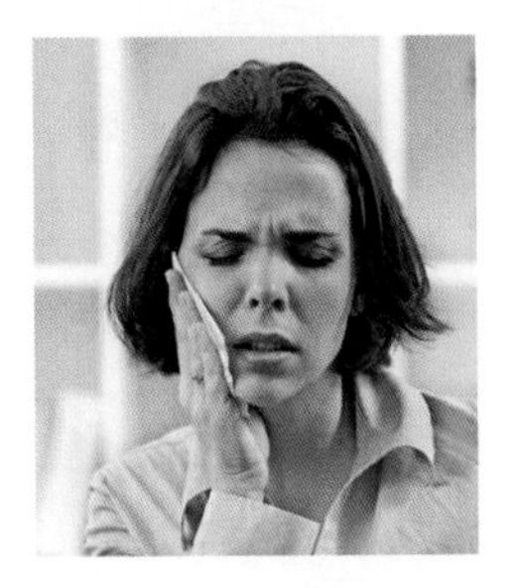

am Montagmorgen: Auto → Arzt fahren
keinen Parkplatz finden → am Bahnhof parken müssen
dann: Straßenbahn → Praxis fahren
sofort: Bäckerei gehen → Kuchen essen
danach: Hause fahren wollen

Laura hat Zahnschmerzen. Am Montagmorgen *fährt sie mit dem Auto zum Arzt*. Aber .... Laura .... Dann .... Dr. Möller kann Laura helfen und sie hat keine Schmerzen mehr. Sofort .... und .... Danach .... Aber: Wo ist der Autoschlüssel?

D5 19 Wo kann man das machen? Ergänzen Sie und vergleichen Sie.

	Deutsch		Englisch	Meine Sprache
kopieren	*im*	Copyshop	at the copyshop	
Zeitungen, Getränke kaufen	*am*	Kiosk	at the newsagent/ kiosk	
Bücher ausleihen		Bücherei	in the library	
schlafen und essen		Hotel	in the hotel	
Fleisch kaufen		Metzgerei	at the butcher's	
Bücher kaufen		Buchhandlung	in the bookstore/ bookshop	

D5 20 Wo finde ich ...?

a Ordnen Sie zu.

1 Wo finde ich einen Copyshop? ◯ Gleich da drüben an der Ecke, neben der Post.
◯ Ist die Adalbertstraße da hinten? ◯ Und wo gibt es einen Kiosk? ◯ Nein, sie ist gleich da vorne.
◯ Da müssen Sie zu einem Kiosk oder zu einer Buchhandlung gehen.
◯ Wo kann ich hier eine Zeitung bekommen? 2 In der Adalbertstraße ist ein Copyshop.

1 nach Orten und Wegen fragen 2 Auskunft geben

◇ Wo finde ich einen Copyshop?
• In der ...

b Schreiben Sie zwei Gespräche mit den Sätzen aus a.

D6 21 Unterwegs

a Wo sind die Personen? Sehen Sie die Bilder an und ergänzen Sie.

A

B

C

am Bahnhof .... am .... im ....

2 🔊 25–27 **b** Hören Sie und ordnen Sie die Bilder zu.

Gespräch	1	2	3
Bild			

2 🔊 25–27 **c** Hören Sie noch einmal und korrigieren Sie

1 Robert ~~fliegt nach Oxford~~. kommt aus London
Andy fliegt zu seiner Freundin nach Sevilla. ....
2 Der Mann sagt, sie müssen vor der Tankstelle rechts fahren. ....
Die Frau sagt, ihr Mann hört nicht mehr gut. ....
3 Der Mann sucht den Bahnhof. ....
Die Frau sagt, er muss bei der Buchhandlung rechts gehen. ....

D6 22 z hören und sprechen

2 🔊 28 **a** Was hören Sie? Kreuzen Sie an.

Phonetik

1 ◯ s ☒ z 3 ◯ s ◯ z 5 ◯ s ◯ z 7 ◯ s ◯ z
2 ◯ s ◯ z 4 ◯ s ◯ z 6 ◯ s ◯ z 8 ◯ s ◯ z

2 🔊 29 **b** Hören Sie und sprechen Sie nach.

1 Zug – mit dem Zug – mit dem Zug in die Schweiz – Wir fahren mit dem Zug in die Schweiz.
2 zwischen – zwischen der Post und der Metzgerei – Zwischen der Post und der Metzgerei gibt es einen Kiosk.
3 Zahnarzt – zum Zahnarzt – mit dem Bus zum Zahnarzt – Isa fährt mit dem Bus zum Zahnarzt.

E Am Bahnhof

E1 23 Ergänzen Sie.

A einsteigen

B ....

C ....

E2 24 Ordnen Sie zu und ergänzen Sie in der richtigen Form.

Verspätung ~~fahren~~ Circa Durchsagen ankommen hin und zurück Bahnsteig abfahren Einfach

▲ Entschuldigung, wann fährt der nächste Zug nach Neuss?
◻ Also, der nächste Zug .... um 10.38 Uhr von Gleis 5 .... Der Zug fährt aber nicht direkt. Sie .... um 11.24 Uhr in Düsseldorf .... und um 11.42 Uhr haben Sie dann Anschluss nach Neuss.
▲ Ah, das passt, danke! Dann bitte eine Fahrkarte nach Neuss.
◻ .... oder .... ?
▲ Einfach, bitte.
◻ Gern. Oh, ich sehe gerade: Der Zug nach Düsseldorf hat leider ....
▲ Oje! Wie viel?
◻ .... 20 Minuten. Aber achten Sie bitte auch auf die .... Vielleicht fährt der Zug auch an einem anderen .... ab.
▲ Gut. Vielen Dank.

◇ E2 25 Ordnen Sie das Gespräch.

◯ Um 14.56 Uhr. Von Gleis 23.
③ Muss ich umsteigen?
◯ Nein, einfach.
① Ich brauche eine Auskunft. Wann fährt der nächste Zug nach Mannheim?
◯ Ja, in Karlsruhe. Sie haben Anschluss um 18.31 Uhr.
◯ Ich brauche auch noch eine Fahrkarte. Bekomme ich die bei Ihnen?
◯ Ja, hin und zurück?

❖ E2 26 Schreiben Sie Gespräche.

E3 27 Fahrpläne

a Wo finden Sie die Fahrpläne? Sehen Sie die Pläne an und ordnen Sie zu.

○ An der Bushaltestelle. ① Am Bahnhof. ○ Im Internet oder am Schalter.

1

Abfahrt **Nürnberg Hbf** 14.12.–13.06.

Zeit	Zug	Richtung	Gleis
8:33	RE 19927	Roßtal 8:46 — Heilsbronn 8:53 — Wicklesgreuth 8:59 — Ansbach 9:06 — Crailsheim 9:41 — Schwäbisch Hall-H. 9:59 — Backnang 10:49 — **Stuttgart 11:18**	8
8:33	S1 39127	**Lauf (li.Pegn) 8:55**	2
8:34	ICE 1512	Bamberg 9:06 — Jena Hbf 10:52 — Naumburg 11:17 — Leipzig 11:56 ⊙	8
8:52 Mo*	ICE 1603	**München Hbf 10:04** ⊙ *30	8
8:53	S1 39129 39247 2. KL	**Abfahrt Abschnitt A–C:** Lauf (li. Pegn) 9:15 — Hersbruck (li. Pegn) 9:25	3 4
8:57 Mo*	ICE 3777	Augsburg 10:07 — M-Pasing 10:31 — **München Hbf 10:41** ⊙ *15. Dez bis 23. Mär	8

2

Bahnhof/Haltestelle	Datum	Zeit	Gleis
Ulm Hbf	31.07.	ab 10:05	1
Stuttgart Hbf	31.07.	an 11:06	9
Stuttgart Hbf	31.07.	ab 11:27	8
Mannheim Hbf	31.07.	an 12:05	3

Dauer: 2:00; fährt täglich

3

Haltestellen:			
Marienburg Südpark	20:33	20:48	21:03
Marienburger Str.	20:34	20:49	21:04
Goltsteinstr./Gürtel	20:35	20:50	21:05
Tacitusstr.	20:37	20:52	21:07
Koblenzer Str.	20:38	20:53	21:08
Bonntor	20:39	20:54	21:09
Alteburger Wall	20:40	20:55	21:10
Rolandstr.	20:41	20:56	21:11
Chlodwigplatz	20:43	20:58	21:13

b Sehen Sie die Fahrpläne in a an.
Welche Informationen finden Sie? Kreuzen Sie an.

1 ○ Wann kommen die Züge in Nürnberg an? ☒ Wann fahren die Züge in Nürnberg ab?
2 ○ Wo muss man umsteigen? ○ Was kostet die Fahrkarte?
3 ○ Hat der Bus Verspätung? ○ Wie oft fährt der Bus?

LERNTIPP Lesen Sie zuerst die Fragen und markieren Sie dann die Antworten im Plan.

c Ergänzen Sie die Informationen.

1 Sie möchten um ca. 8.30 Uhr nach Stuttgart fahren.
Abfahrt: Zugnummer: RE19927
Gleis: Ankunft Stuttgart:

2 Sie fahren von Ulm nach Mannheim.
Abfahrt: Gleis: 1
Umsteigen in: Fahrtzeit:

3 Sie sind in der Koblenzer Straße und müssen um 21 Uhr am Chlodwigplatz sein.
Abfahrt: Ankunft:

E3 28 Hören Sie und kreuzen Sie an: richtig oder falsch? Sie hören jeden Text einmal.

2 🔊 30–33
Prüfung

a Das Kinderessen kostet 3,90 Euro. ○ richtig ○ falsch
b Der Zug fährt nach Berlin. ○ richtig ○ falsch
c Die Fahrgäste sollen mit dem Bus fahren. ○ richtig ○ falsch
d Für aktuelle Fahrplaninformationen muss man die „Zwei" wählen. ○ richtig ○ falsch

Test Lektion 11

11

1 Markieren Sie noch vier Wörter und ordnen Sie zu.

1 ...... /4 Punkte

WÖRTER

VAMPELS(VERSPÄTUNG)BUBAHNAHALTESTELLEXAUTOBAHN

◆ Gestern hatte der Bus Verspätung (a). Ich habe 40 Minuten an der .... (b) gewartet.
○ Das Problem kenne ich. Ich nehme nie den Bus oder die .... (c). Ich fahre nur mit dem Auto.
◆ Aber mit dem Auto musst du an der .... (d) warten.
○ Nein, ich fahre auf der .... (e). Das geht schnell.

2 Ordnen Sie zu.

2 ...... /3 Punkte

geradeaus | rechts | links | ~~an der Ecke~~

◆ Wo ist die Bank?
○ Die Bank ist gleich an der Ecke (a). Fahren Sie zuerst .... (b) und an der Ampel nach .... (c). Fahren Sie dann die zweite Straße .... (d).

...... ● 0–3 ● 4–5 ● 6–7

3 Ergänzen Sie.

3 ...... /9 Punkte

GRAMMATIK

Linda fährt mit d...... Bus (a) z...... Arbeit (b). Sie arbeitet bei einem Arzt (c). Die Praxis ist zwischen d...... Hotel Ritz (d) und d...... Post (e). Am Abend fährt sie wieder n...... Hause (f). Sie geht noch z...... Supermarkt (g) und kauft ein. Z...... Hause (h) wartet ihr Hund Max. Am Abend geht Linda mit Anne i...... Kino (i). Am Wochenende fährt sie in d...... Schweiz (j).

4 Ergänzen Sie: Der Ball ist ...

4 ...... /5 Punkte

a neben dem Schrank.
b .... Tisch.
c .... Bett.
d .... Küche.
e .... Büchern.
f .... Lampe.

...... ● 0–7 ● 8–11 ● 12–14

5 Was ist richtig? Kreuzen Sie an.

5 ...... /4 Punkte

KOMMUNIKATION

a Entschuldigung, ich suche den Bahnhof.
  ☒ Tut mir leid, ich bin nicht von hier. ○ Da drüben ist ein Fahrkartenautomat.
b Wie komme ich zum Krankenhaus?
  ○ Das ist in der Nähe. ○ Fahren Sie mit der S-Bahn bis zum Barbaraplatz.
c Wo gibt es hier eine Bäckerei?
  ○ Ja, in der Baumstraße. ○ An der Ecke, neben der Apotheke.
d Kann ich zu Fuß zur Universität gehen?
  ○ Nein, das ist viel zu weit. ○ Gehen Sie immer geradeaus.
e Wo kann ich Bücher ausleihen?
  ○ Tut mir leid, ich habe keine Bücher. ○ Da gehen Sie zur Bücherei.

...... ● 0–2 ● 3 ● 4

Fokus Beruf: Ein Termin bei einer Firma

2 34–36 **1 Was ist richtig? Hören Sie und kreuzen Sie an.**

a Was soll Alejandro López machen?
- ○ Er soll eine Bewerbung schicken.
- ○ Er soll am Donnerstag einen Termin machen.
- ○ Er soll Frau Losert anrufen.

b Was möchte Alejandro wissen?
- ○ Passt der Termin am Donnerstag?
- ○ Wie kommt man zur Firma Bause & Bause?
- ○ Kann man vom Hauptbahnhof zu Fuß gehen?

c Wie soll Alejandro von Lüneburg nach Hamburg fahren?
○ Mit dem Zug. ○ Mit dem Auto. ○ Mit der U-Bahn.

2 Eine E-Mail

a Lesen Sie und markieren Sie: Termin – Adresse – Weg vom Bahnhof.

E-Mail senden

Von: losert@bausebause.de
An: a.lopez@netz.net
Betreff: Ihr Termin

Sehr geehrter Herr López,

gern bestätigen wir Ihnen den Termin zum Bewerbungsgespräch am Donnerstag, 5. September, 15.00 Uhr.
Wir sind in der Alexanderstraße 38 in Hamburg.
Und so finden Sie zu Bause & Bause:
Vom Hauptbahnhof mit der U1 Richtung Großhansdorf, Ausstieg an der ersten Haltestelle Lohmühlenstraße, dann circa 250 Meter zu Fuß: Nehmen Sie den Ausgang Steindamm, gehen Sie die erste Straße links (Stiftstraße) und dann die zweite Straße rechts. Das ist die Alexanderstraße.
Im Anhang ist auch ein kleiner Stadtplan.

Mit freundlichen Grüßen
U. Losert

b Lesen Sie noch einmal und korrigieren Sie.

1 Vom Hauptbahnhof soll Alejandro mit ~~dem Bus~~ fahren. der U-Bahn
2 Er muss an der Station „Lohmühlenstraße" umsteigen. ....
3 Von der U-Bahn bis zur Firma Bause & Bause sind es circa 200 Meter. ....
4 Vom Ausgang Steindamm muss er zuerst links und dann geradeaus gehen. ....

2 37 **3 Hören Sie und ergänzen Sie.**

Alejandros Zug hat Verspätung. Er kommt erst um .... an. Frau Losert sagt, das ist kein .... Alejandro soll am Bahnhof ein .... nehmen.

A Gleich **nach dem Kurs** gehe ich hin.

A1 Wiederholung A1, L5

1 Ergänzen Sie: *vor – nach*.

a Viertel nach eins.

b Viertel ______ sieben.

c Zwanzig ______ neun.

d Fünf ______ acht.

A1

2 Ergänzen Sie: *beim – bei der – bei den – nach dem – nach den – vor dem – vor der*.

Das ist Kioko ...

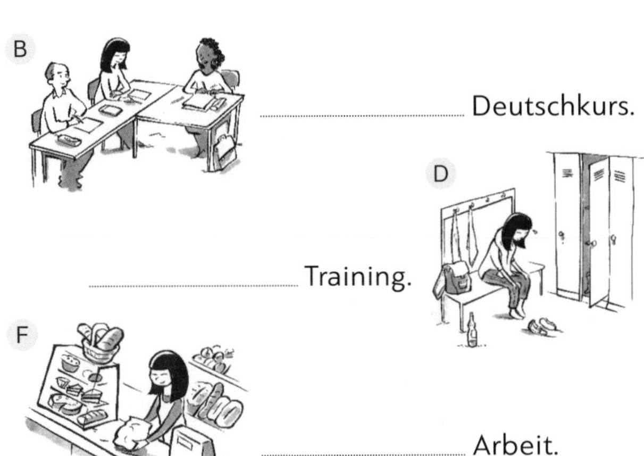

A ______ Deutschkurs.

B ______ Deutschkurs.

C beim Training.

D ______ Training.

E vor der Arbeit.

F ______ Arbeit.

G ______ Hausaufgaben.

H ______ Hausaufgaben.

A1 Grammatik entdecken

3 Markieren Sie in 2 und ergänzen Sie.

	• der Deutschkurs	• das Training	• die Arbeit	• die Hausaufgaben
vor/nach			der	
bei	⚠	⚠ beim		

A1 Schreibtraining

4 Sorins Tag: Schreiben Sie.

6.30 aufstehen | joggen ← Frühstück | Frühstück + Zeitung lesen | Frühstück → mit dem Fahrrad zur Arbeit fahren | 12.00 Mittagspause machen | 20 Minuten spazieren gehen ← Mittagessen | Mittagessen + mit Kollegen sprechen | bis 17.00 arbeiten | Arbeit → sofort nach Hause fahren | Abendessen machen | Abendessen + fernsehen | Abendessen → mit Ella telefonieren

← vor
+ bei
→ nach

Sorin steht um halb sieben auf.
Vor dem Frühstück ...

A2 **5 Ergänzen Sie: *vor – seit*.**

Wiederholung A1, L8

◆ Hallo, Tina! Wie geht es dir? Ich habe dich ja seit fast drei Monaten nicht mehr gesehen.
○ Danke, prima. Ich war doch in den USA. Ich bin erst ______ einer Woche nach Hause gekommen. Und wie geht es dir?
◆ Super. Danke. Ich arbeite ______ zwei Wochen wieder. Ich habe ______ zwei Monaten endlich einen Job gefunden.

A2 **6 Was ist richtig? Kreuzen Sie an.**

a
Hast du mal wieder Zeit?
☒ Ja, nach den Prüfungen.
○ Ja, bei den Prüfungen.

b
Ist dein Auto schon lange kaputt?
○ Ja, seit dem Picknick am Sonntag.
○ Ja, vor der Arbeit.

c
Wann hattest du deine Deutschprüfung?
○ Seit zwei Wochen.
○ Vor einem Jahr.

d
Meine Waschmaschine ist kaputt. Wann kannst du mir helfen?
○ Vor einer Stunde.
○ Nach dem Unterricht.

e
Wann hast du die Waschmaschine gekauft?
○ Vor einem Monat.
○ Seit einem Monat.

f
Und seit wann ist sie kaputt?
○ Nach drei Tagen.
○ Seit einer Woche.

A2 **7 Markieren Sie in 6 und ergänzen Sie.**

Grammatik entdecken

	• der/ein	• das/ein	• die/eine	• die/drei ...n
nach/vor/seit	______ Unterricht	______ Picknick	______ Arbeit	den Prüfungen
	______ Monat	______ Jahr	______ Woche	______ drei Tagen

A3 **8 Ergänzen Sie: *bei – seit – vor – nach* und die Artikel in der richtigen Form.**

a
Der Kühlschrank war erst ______ Monat in Reparatur, aber seit drei Tagen funktioniert er nicht mehr.

b
◆ Wann hast du dein Auto verkauft?
○ ______ Jahr.

c
Neue Adresse: ______ Woche wohne ich in der Emsstr. 3.

d
______ Arbeit darfst du nicht rauchen.

e
✚ Wann gehst du immer zum Training?
● Am Mittwochabend ______ Arbeit.

f
▲ Wie lange lernst du schon Deutsch?
▫ ______ Monat.

g
Gehen wir morgen Abend ______ Unterricht noch spazieren?

h
______ Prüfungen macht Lea ihr Smartphone aus.

B Sie bekommen sie **in vier Wochen**.

B1 9 Verbinden Sie und schreiben Sie.

WANN SEHE ICH SIE WIEDER?

in einer	Stunden	in zwei Stunden
in einem	Tagen	______
in zwei	Woche	______
	Monaten	______
	Stunde	______
	Jahr	______
	Wochen	______
	Monat	______
	Jahr	______

B1 10 Ergänzen Sie: *bis – ab – in*.

a

▲ Bis wann machst du Hausaufgaben?

◻ ______ vier Uhr.

▲ Ich arbeite bis fünf Uhr. ______ fünf Uhr habe ich Zeit.

b

✚ Wann fährst du nach Berlin?

○ Am Montag. Also ______ einer Woche.

✚ Und ab wann bist du wieder zu Hause?

○ ______ Sonntag. Also ______ zwei Wochen.

c

◆ Wann kann ich Sie morgen anrufen?

○ ______ acht Uhr bin ich bei der Arbeit.

◆ Und wie lange?

○ ______ zwölf Uhr.

d

◆ Hallo Tanja, ist Iris da?

▲ Nein, sie hat ______ sechs Uhr Kurs, sie kommt aber sicher gleich.

◆ Gut, dann rufe ich ______ einer Stunde wieder an.

B1 11 Was passt nicht? Streichen Sie.

a

◆ Wann bist du nach Deutschland gekommen?

○ Im Sommer. – ~~Morgen~~. – Vor einem Semester.

b

◆ Ab wann kannst du zum Deutschkurs gehen?

○ Ab Montag. – Ab heute. – Bis morgen.

c

◆ Wann kommen deine Eltern nach Berlin?

○ Zwei Wochen. – In zwei Tagen. – Am Sonntag.

d

◆ Wie lange bleibt Eleni in Köln?

○ Bis Montag. – Im Herbst. – Zwei Monate.

B2 12 Ergänzen Sie: *wann – seit wann – ab wann – wie lange – bis wann*.

a

◆ Mein Herd funktioniert nicht.

○ Seit wann ist der Herd denn kaputt?

◆ Seit gestern Abend. ______ kann der Techniker kommen?

○ In einer Stunde.

◆ ______ braucht er für die Reparatur?

○ Das kann ich Ihnen nicht sagen.

b

▲ Mein Drucker druckt nicht mehr. ______ kann ich den Drucker abgeben?

◻ Bis 18:00 Uhr.

▲ ______ dauert die Reparatur?

◻ Eine Woche. Am Freitag ist er fertig.

▲ Und ______ kann ich ihn abholen?

◻ Ab 8.00 Uhr.

◇ B2 13 Was ist richtig? Kreuzen Sie an.

a

◆ ☒ Bis wann ○ Seit wann können Sie den Fernseher reparieren?
○ Bis Samstag.
◆ Holen Sie ihn heute noch ab?
○ Ja, ○ seit ○ in einer Stunde.

b

◆ ○ Ab wann ○ Seit wann kann ich Sie morgen anrufen?
▲ ○ Bis ○ Ab sieben Uhr und ich bin ○ bis ○ ab 16 Uhr da.

c

✚ ○ Wie lange ○ Wann kann ich den Computer abholen?
● ○ In ○ Ab 17 Uhr. Wir haben ○ seit ○ bis 19 Uhr geöffnet.

d

▲ ○ Wann ○ Wie lange bringen Sie das Gerät wieder?
✚ ○ In ○ Am Freitag.

e

▲ Wann kommen Sie?
◻ ○ Am ○ Um 15 Uhr. Sind Sie da zu Hause?
▲ Ja, ich bin ○ ab ○ bis 14 Uhr zu Hause.

❖ B2 14 Kamilas Woche: Was macht Kamila wann?

a Schreiben Sie vier Fragen mit *wann? – wie lange? – ab wann? – bis wann?* und die Antworten.

	MONTAG	DIENSTAG	MITTWOCH	DONNERSTAG	FREITAG	SAMSTAG	SONNTAG
08:00–10:00	Deutschkurs	Deutschkurs	Deutschkurs	Deutschkurs			1 Woche
10:00–12:00							zu Peter
12:00–14:00						////	fahren
14:00–16:00						////	→
16:00–18:00						Arbeiten	
18:00–20:00	Arbeiten		Arbeiten			////	
20:00–22:00		Fitness-Studio		Kino mit Samira			

Bis wann ist Kamila am Dienstag im Fitness-Studio? – Bis 22 Uhr.
Wie lange arbeitet Kamila am Samstag? – ...

b Stellen Sie die Fragen Ihrer Partnerin / Ihrem Partner und vergleichen Sie mit Ihrer Antwort.

B3 15 Anruf beim Reparaturservice

a Ordnen Sie.

◯ ◆ Guten Tag, meine Name ist Lechner. Mein Smartphone funktioniert nicht mehr.
◯ ◆ Gut, dann bis später. Auf Wiederhören.
◯ ○ Was für ein Modell ist es denn?
(6) ◆ Wie lange dauert die Reparatur?
◯ ◆ Ein Vony S5. Ich habe noch ein Jahr Garantie.
◯ ○ Gut, dann bringen Sie Ihr Smartphone bitte vorbei. Wir schicken es dann zur Reparatur.
◯ ○ Media-Kaufhaus, guten Tag. Sie sprechen mit Cosima Radu. Was kann ich für Sie tun?
◯ ○ Tut mir leid, das kann ich Ihnen nicht sagen.

2 🔊 38 b Hören Sie und vergleichen Sie.

C Könnten Sie mir das bitte zeigen?

C1 **16 Schreiben Sie höfliche Bitten.**

a Ich brauche ein Wörterbuch. (du mir – mein Wörterbuch – zurückgeben – könntest – bitte)
Könntest du mir bitte mein Wörterbuch zurückgeben ?

b Tut mir leid, der Chef ist nicht da. (Sie – später noch einmal – anrufen – bitte – könnten)
______________________________ ?

c Ich muss für die Party Getränke kaufen. (ihr – helfen – würdet – bitte)
______________________________ ?

d Wir haben kein Brot mehr. (bitte – zum Bäcker – würdest – gehen – du)
______________________________ ?

C1 **17 Markieren Sie in 16 und ergänzen Sie.**

Grammatik entdecken

	könnte-	würde-	
du	Könntest du		bitte ...?
Sie		Würden Sie	bitte ...?
ihr	Könntet ihr		bitte ...?

LERNTIPP Lernen Sie wichtige Sätze wie *Könnten/Würden Sie bitte ...?* auswendig. Diese Sätze brauchen Sie oft.

C2 **18 Schreiben Sie höfliche Bitten.**

a Mein Herd ist kaputt. Kommen Sie doch bitte vorbei.
Könnten/Würden Sie bitte vorbeikommen?

b Wo ist die Goethestraße? Erklär mir bitte den Weg.
K ______ /W ______

c Sie dürfen hier nicht telefonieren. Machen Sie bitte Ihr Handy aus.
K ______ /W ______

d Ich muss morgen früh aufstehen und möchte schlafen. Seid bitte leise.
K ______ /W ______

◇ C2 **19 Höflich oder nicht so höflich?**

a Ordnen Sie zu und ergänzen Sie: *würde-* und *könnte-* in der richtigen Form.

kaufen ~~fahren~~ aufräumen geben

1 ☒ Würdest du bitte nicht so schnell fahren ?
○ Fahr bitte nicht so schnell!
2 ○ K ______ du mir bitte eine Tüte ______ ?
○ ______ mir bitte eine Tüte!
3 ○ ______ bitte ein bisschen ______ !
○ W ______ ihr bitte ein bisschen ______ ?
4 ○ ______ Sie bitte Papier!
○ K ______ Sie bitte Papier ______ ?

b Was ist höflich? Kreuzen Sie an.

❖ C2 20 Ordnen Sie zu und schreiben Sie Bitten mit *könnte*- oder *würde*- in der richtigen Form.

~~noch einmal wiederholen~~ | Zigarette ausmachen | mir bei der Übung helfen | Musik leise machen

A

B

C

D

Ⓐ Entschuldigung, ich habe Sie nicht verstanden. Könnten Sie das bitte noch einmal wiederholen?

C2 21 Ergänzen Sie: *an – auf – aus – zu*.

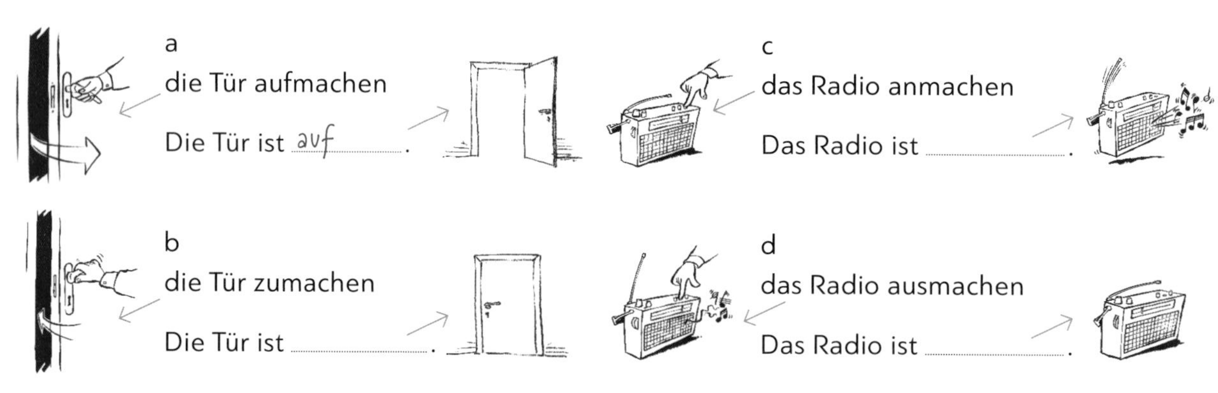

a die Tür aufmachen
Die Tür ist auf.

b die Tür zumachen
Die Tür ist ....

c das Radio anmachen
Das Radio ist ....

d das Radio ausmachen
Das Radio ist ....

C2 22 Ordnen Sie in der richtigen Form zu und vergleichen Sie.

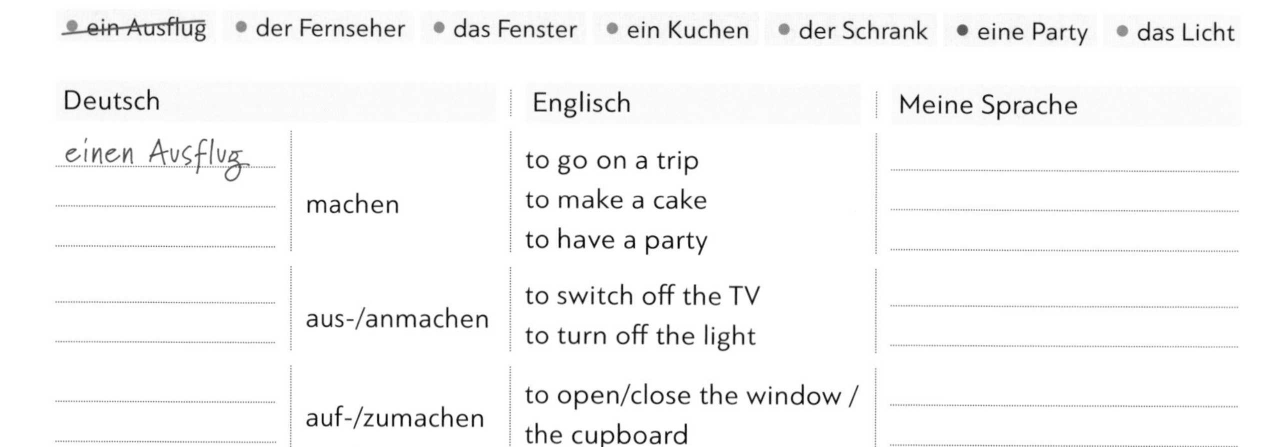

~~ein Ausflug~~ | der Fernseher | das Fenster | ein Kuchen | der Schrank | eine Party | das Licht

Deutsch		Englisch	Meine Sprache
einen Ausflug	machen	to go on a trip to make a cake to have a party	....
....	aus-/anmachen	to switch off the TV to turn off the light	....
....	auf-/zumachen	to open/close the window / the cupboard	....

C3 23 Hören Sie und markieren Sie die Betonung: ____. Sprechen Sie dann nach.

2 🔊 39
Phonetik

◆ Erwin, hast du die Waschmaschine ausgemacht?
◆ Hast du überall das Licht ausgemacht?
◆ Hast du die Balkontür zugemacht?
◆ Und das Radio?
◆ Und die Fenster?

○ Aber ja, die Waschmaschine ist aus.
○ Natürlich. Das Licht ist überall aus.
○ Aber sicher. Die Balkontür ist zu.
○ Klar! Das Radio ist aus.
○ Oje! Die Fenster sind auf.

D Nachrichten am Telefon

D2 24 Was ist richtig? Hören Sie und kreuzen Sie an.

2 🔊 40–42 Sie hören jeden Text zweimal.

Prüfung

1 Wann ist die Arztpraxis geschlossen?
- a ○ Am Montagnachmittag.
- b ○ Am Freitagnachmittag.
- c ○ Am Mittwoch- und Freitagnachmittag.

2 Wie lange dauert die Reparatur?
- a ○ Bis morgen.
- b ○ Bis Freitag.
- c ○ Bis neunzehn Uhr.

3 Wann ruft Steffi noch einmal an?
- a ○ Vor dem Training.
- b ○ Nach dem Training.
- c ○ Morgen vor der Arbeit.

D3 25 Eine Nachricht

a Ordnen Sie die Nachricht.

- (5) Bitte rufen Sie mich an.
- ○ Ich weiß nicht, warum.
- ○ Guten Tag.
- ○ Hier spricht Frederike Junghans vom Institut für Biotechnologie.
- ○ Vielen Dank und auf Wiederhören.
- ○ Meine Nummer ist 030 – 753 682 – 1.
- ○ Ich habe Ihre Rechnung vom 28. 4. per Überweisung bezahlt, aber das hat nicht funktioniert.

2 🔊 43 **b** Hören Sie und vergleichen Sie.

D3 26 Schreiben Sie und sprechen Sie eine Nachricht.

Hallo Freunde, heute ist der erste schöne Sommertag. Wollen wir nicht am See grillen? Ich bringe meinen kleinen Grill und Würste mit. Wer kommt? Was bringt ihr mit? Bitte sprecht kurz auf meine Mailbox oder schickt eine Nachricht. Grüße Elias

Kommen Sie?
- → Nein: Warum nicht?
- → Ja: Was bringen Sie mit?

Hallo, Elias, super Idee! Ich komme gern und …

Hallo, Elias, das ist eine super Idee! …

D3 27 Wörter mit *ng*

2 🔊 44 **a** Hören Sie und sprechen Sie nach.

Phonetik

die Rechnung – die Anmeldung – das Training – die Wohnungstür – der Junge – der Hunger – der Finger – anfangen – vorbeibringen – langsam – Ich brauche dringend ein Glas Wasser. – Könntest du bitte die Zeitung mitbringen? – Wie lange? – Schon sehr lange.

b Ergänzen Sie andere Wörter mit *ng* und lesen Sie laut.

Entschuldigung, ______________________

E Hilfe im Alltag

E1 28 Hören Sie und schreiben Sie die Antwort.

2 ◀)) 45

a Warum möchte Frau Wendel gut aussehen?
Sie hat eine Präsentation in der Firma.

b Was kostet eine Frisur bei Frau Lex?
....

c An welchem Tag kommt Frau Lex zu Frau Wendel? ....

d Um wie viel Uhr ist der Termin?
....

Michaelas *mobiler* Friseur

Meisterbetrieb
Tel.: 0176/36 50 49 87

Liebe Kundin, lieber Kunde,
ich komme zu Ihnen nach Hause, ins Büro oder ins Hotel und frisiere oder schneide Ihre Haare. Denn schöne Haare und eine gute Frisur sind wichtig, im Job oder in der Freizeit.

Michaela Lex

E1 29 Sie möchten einen Service anbieten.
Schreiben Sie eine Anzeige wie im Beispiel.

Schreibtraining

SHOPPINGSERVICE FÜR MÄNNER
Sie brauchen gute Outfits für Büro und Freizeit, kaufen aber nicht gern ein?
Eine Ex-Mode-Journalistin macht das für Sie.
shoppingservice@e-online.de 0176/28 53 96 47

Englischunterricht | mobiler Koch | Shoppingservice | Nähservice | Babysitter | Computerservice | ...

LERNTIPP Sammeln Sie vor dem Schreiben wichtige Wörter für Ihre Anzeige.

E2 30 Ergänzen Sie.

◆ Brixen, guten Tag. Könnte ich bitte den EAG – *Reparatur* (turpaRera)-Service sprechen? Unsere Waschmaschine ist .... (ttupka).
○ Guten Tag. Kennen Sie die .... (lledMo)-Nummer? Welches .... (ztasErliet) brauchen Sie für die Waschmaschine? Wir haben eigentlich alles im .... (regLa).
◆ Ja, das ist die Simac 557. Welches Ersatzteil? Das weiß ich nicht. Aber die Maschine reinigt nicht mehr .... (dnürgchil) und sie ist erst elf Monate alt! Das kann doch nicht sein!
○ Die Maschine ist ganz neu? Dann haben Sie noch .... (narGatie).

E3 31 Ordnen Sie zu.

~~anbieten~~ | Mitarbeiter | genießen | Nudel | Terminal | Snacks | Flug | Ausland

Sie fliegen öfter ins ....?
Im neuen Bistro „Weltweit" im .... 2 am Flughafen Frankfurt *bieten* wir Ihnen in exklusiver Atmosphäre von 7:00 bis 23:00 Uhr exzellente ...., leichte ....gerichte und kalte Getränke *an*. Unsere freundlichen .... erwarten Sie. Kommen Sie vorbei und .... Sie bei uns die Wartezeit bis zu Ihrem nächsten ....

E3 32 Was passt nicht? Streichen Sie.

a ~~den Flug~~ – das Lager – das Dachfenster putzen
b einen Service – eine Beratung – einen Fehler anbieten
c ein Nudelgericht – eine Übersetzung – Snacks genießen
d ein Zeugnis – eine Freude – ein Dokument brauchen

◇ E3 33 Ergänzen Sie jeweils drei bis fünf Wörter.

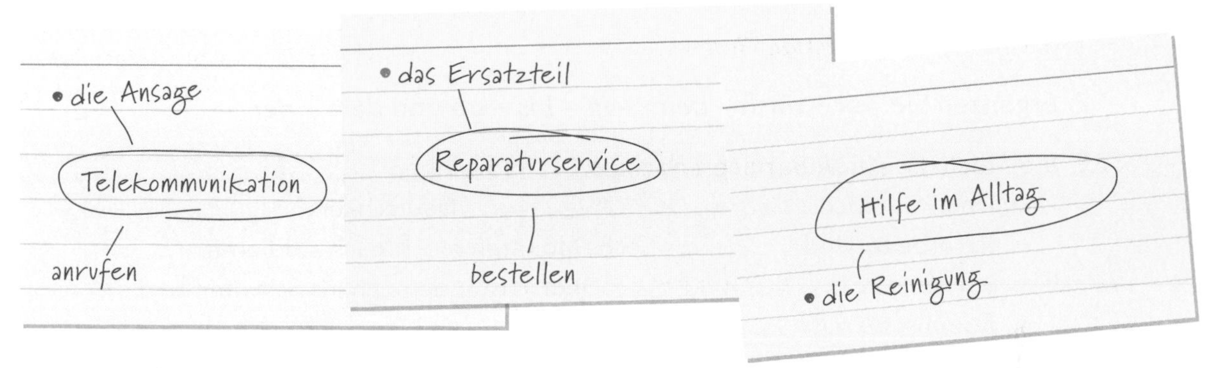

◈ E3 34 Schreiben Sie wie im Beispiel.

Wir wandern im Wald – im Restaurant reservieren – die Augen aufmachen – viel vergessen – sauer sein ...

E3 35 Formulieren Sie Bitten zu den Kärtchen und reagieren Sie.

Prüfung

Könnten Sie mir bitte eine Pizza bringen?

Ja, natürlich.

Kann ich bitte ... bekommen/haben/nehmen?
Können Sie bitte ... bringen/mitbringen/kaufen/reparieren?
Könnten Sie ...?
Würden Sie ...?

Natürlich, hier bitte.
Ja, natürlich. | Ja, gern.
Okay, mache ich. | Na klar!
Nein, das geht leider nicht.
Nein, tut mir leid.

Test Lektion 12

1 Ordnen Sie zu.

1 ____ /7 Punkte — WÖRTER

kaputt ~~gründlich~~ empfehlen Drucker günstig Lager reparieren putzen

a Verkäufer ____________ „Superweiß-Papier" für Faxgeräte und ____________.

b Ihre Waschmaschine ist ____________? Wir ____________ alle Elektrogeräte schnell und ____________!

c XXL-Clean: Wir ____________ Ihr Büro und Ihr ____________ schnell und *gründlich*.

● 0–3 ● 4–5 ● 6–7

2 Ergänzen Sie: *vor – nach – beim – in – bis – ab* und *dem – der*.

2 ____ /8 Punkte — GRAMMATIK

a ○ Mein Deutschkurs dauert noch *bis* November.
◆ Und was machst du ________ ________ Deutschkurs?
○ Ich arbeite. Und ________ sechs Monaten möchte ich studieren.

b ✚ Ich gehe ________ ________ Deutschstunde noch ins Schwimmbad. Kommst du mit? ________ wann hast du Zeit?
▲ ________ halb vier bin ich ________ Training. Danach habe ich Zeit.

3 Schreiben Sie Bitten mit *könnte*- oder *würde*-.

3 ____ /3 Punkte

a Frau Sauerfeld ist nicht da. Rufen Sie bitte später noch einmal an.
Könnten Sie bitte später noch einmal anrufen?

b Ich möchte jetzt schlafen. Mach bitte das Licht aus.
*W*____________________________________?

c Mein Computer funktioniert nicht mehr. Hilf mir bitte.
*K*____________________________________?

d Mein Herd ist kaputt. Schicken Sie bitte heute noch einen Techniker.
*W*____________________________________
____________________________________?

● 0–5 ● 6–8 ● 9–11

4 Verbinden Sie.

4 ____ /4 Punkte — KOMMUNIKATION

a ◆ TechnikWelt, guten Tag. Was kann ich für Sie tun?
b ◆ Was für ein Modell ist es?
c ◆ Haben Sie noch Garantie?
d ◆ Okay, bringen Sie das Gerät bitte vorbei. — 5
e ◆ Normalerweise drei Tage.

1 ○ Ein Naki 7.
2 ○ Vielen Dank! Dann komme ich heute Nachmittag. Auf Wiederhören.
3 ○ Ja, vier Monate.
4 ○ Guten Tag. Mein Name ist Kaminski. Mein Smartphone funktioniert nicht.
5 ○ Gut. Wie lange dauert die Reparatur?

● 0–2 ● 3 ● 4

Fokus Beruf: Angebote verstehen

1 Im Büro: Welche Produkte muss Frau Engel bestellen?

Sehen Sie das Bild an und sprechen Sie.

Es gibt noch genug Papier.

Ja, aber nur DIN-A3-Papier. Frau Engel muss DIN-A4-Papier bestellen.

2 Lesen Sie die Angebote. Was ist richtig? Kreuzen Sie an.

Ordner – günstig und stabil! Ab 100 St. 28 % gespart!

Best.-Nr.	€/St.	€/St. ab 20 St.	€/St. ab 100 St.
11 1583-44	1,75	1,55	1,25

Kopierpapier DIN-A4 – Für Laser- und Inkjet-Drucker

Best.-Nr.	€/Pack.	€/Pack. ab 10 Pack.	€/Pack. ab 50 Pack.	€/Pack. ab 100 Pack.
38 1913-44	5,59	5,09	4,39	3,79

50 Kugelschreiber Diamant – 1 Pack. = 50 Stück! Ab 3 Pack. 0,17 €/St.

Best.-Nr.	€/Pack.	€/Pack. ab 3 Pack.
83 1453-23	9,93	8,59

a ☒ Eine Firma kauft 100 Ordner. Dann kostet ein Ordner 1,25 Euro.
b ○ Ordner haben die Bestellnummer 11 1583-44.
c ○ 100 Packungen Kopierpapier kosten 3,79 Euro.
d ○ Eine Firma kauft 15 Packungen Kopierpapier. Dann kostet eine Packung 5,59 Euro.
e ○ In einer Packung sind immer 50 Kugelschreiber.

Best.-Nr. = Bestellnummer
St. = Stück
Pack. = Packung

3 Frau Engel bestellt 25 Ordner, 30 Packungen DIN-A4-Kopierpapier und 3 Packungen Kugelschreiber.

Ergänzen Sie den Bestellschein mit den Informationen aus 2.

Artikelbezeichnung	Bestellnummer	Menge	Preis pro Stück/Pack. (€)	Preis gesamt (€)
Ordner	11 1583-44	25	1,55	38,75
Kopierpapier DIN-A4	38 1913-44			152,70
Kugelschreiber	83 1453-23			25,77
			Gesamtbetrag (€):	217,22

A Sieh mal, Lara, **die Jacke** da! **Die** ist super!

A1 **1 Ergänzen Sie.**

A
1 • das T-Shirt
2 • der _ ü _ _ _ l
3 • die _ _ s _
4 • die S _ ck _ _
5 • die _ _ _ uh _

B
1 • das T _ _ _
2 • die _ a _ k _
3 • die B _ _ s _
4 • der _ _ ck
5 • die _ t _ ü _ _ f _

A2 **2 Ordnen Sie zu.**

Wiederholung A1, L3 L4 L6

LERNTIPP Was tragen Sie gern? Notieren Sie. Diese Wörter lernen Sie besonders leicht.

ein | einen | ~~eine~~ | der | den | Das | die

Hugo kauft eine Hose, ____ Hemd und ____ Pullover. ____ Hemd ist hellblau und ____ Pullover ist braun. Klara findet ____ Hose toll und ____ Pullover auch sehr schön.

A2 **3 Ordnen Sie die Gespräche. Hören Sie dann und vergleichen Sie.**

2 ◄)) 46

a
◯ ◆ Das ist zu klein, oder?
◯ ◆ Die finde ich toll!
◯ ○ Nein, das finde ich auch super!
◯ ○ Ja, die passt wirklich gut. Und das Hemd?
① ○ Na, wie gefällt dir die Jeans?

b
◯ ◆ Stimmt. Und wie findest du den Anzug?
② ○ Ja, die finde ich auch schön, aber teuer.
◯ ◆ Ja, und der ist auch günstig!
◯ ○ Den finde ich toll.
◯ ◆ Sieh mal, die Stiefel. Die sind wirklich schön.

A2 **4 Markieren Sie in 3 und ergänzen Sie.**

Grammatik entdecken

	• der Anzug	• das Hemd	• die Jeans	• die Stiefel
Wer/Was **ist** schön?/ **passt** gut?/**gefällt** dir?			die	
Wen/Was **findest** du schön?			die	

A2 **5 Ordnen Sie zu.**

Das | Das | den | den | der | ~~Die~~ | Die | die | die

a
▲ Sieh mal, die Jacke dort. Die ist wirklich toll.
□ Ja, ____ finde ich auch schön, aber leider ist sie etwas dünn.
▲ Und wie findest du das Kleid? ____ ist doch zu weit, oder?
□ Ja, stimmt. ____ ist zu groß.

b
◆ Ich brauche einen Schirm. Wie findest du ____?
○ Hm, ____ finde ich etwas langweilig. Aber ____ hier ist sehr schön.
◆ Ja, stimmt. – Oh, sieh mal, die Stiefel da! ____ sind ja toll.
○ Ja, ____ finde ich auch super.

6 Was ist richtig? Kreuzen Sie an.

A2

a
- Sieh mal, ☒ der ○ den Mantel. ○ Der ○ Den ist doch schön!
- Nein, ○ der ○ den ist langweilig.
- Was? ○ Der ○ Den finde ich prima.

b
- Wie findest du ○ die ○ das Schuhe?
- ○ Den ○ Die finde ich gut.
- Und ○ der ○ die Jacke?
- ○ Den ○ Die auch.

c
- Wo hast du ○ das ○ den Fernseher gekauft?
- ○ Das ○ Den habe ich im E-Markt gekauft.

d
- Gehst du jetzt zum Training?
- Nein, ○ die ○ das fängt erst um 17 Uhr an.

e
- Hast du ○ das ○ den Regal für 200 Euro oder ○ den ○ das für 350 Euro gekauft?
- ○ Das ○ Den für 200 Euro.

7 Verbinden Sie und ergänzen Sie.

A2

a Da kommt unser Bus.
b Findest du den Computer auch so günstig?
c Dein Mantel ist sehr schön.
d Wie findest du das Hemd hier?
e Seit wann hast du denn das Auto?
f Sollen wir noch Orangensaft kaufen?
g Luka braucht einen Becher.

1 Das finde ich nicht so schön.
2 Nein, ... finde ich teuer.
3 Nein, das ist nicht unser Bus. .... können wir nicht nehmen.
4 Danke. .... ist ganz neu!
5 .... habe ich seit drei Monaten.
6 Er kann .... da nehmen!
7 Nein, ... schmeckt nicht so gut. Nimm doch den Apfelsaft!

8 Ergänzen Sie die Gegensätze und vergleichen Sie.

A3

LERNTIPP Lernen Sie Wörter für Gegensätze zusammen.

Deutsch	Englisch	Meine Sprache
kurz ≠ lang	short ≠ long	
alt ≠	old ≠ new	
dünn ≠	thin ≠ thick	
.... ≠ warm	cold ≠ warm	
langweilig ≠	boring ≠ interesting	

9 Ordnen Sie zu.

A3

Achtung: Manchmal gibt es mehrere Lösungen.

~~teuer~~ billig günstig alt neu modern schön hässlich breit schmal groß klein lang kurz laut leise ~~gut~~ langweilig interessant schnell langsam dünn

A teuer,
B
C teuer, gut,
D
E

B Die Jacke passt **dir** perfekt.

B1 **10 Ergänzen Sie in der richtigen Form: *gefallen – passen – helfen*.**

Wiederholung A1, L4

a ◆ Wie gefallen dir die Schuhe? ○ Die sind super. Sie passen perfekt.
b ◆ Und? .... dir die Stiefel? ○ Nein, leider nicht. Die sind zu klein.
c ◆ Wie .... Ihnen das Haus? ○ Sehr gut. Die Zimmer sind groß und hell.
d ◆ Reparierst du dein Fahrrad selbst? ○ Ja, aber mein Bruder .... mir.

B2 **11 Der gefällt ihm sehr gut.**

Grammatik entdecken

a Ordnen Sie zu.

Ja, das schmeckt mir total gut. | Der gefällt ihm sehr gut. | ~~Die passt mir super.~~ | Natürlich, ich helfe euch gern.

1

◆ Passt Ihnen die Hose?
○ Die passt mir super.

2

▲ Wie geht's Andrej? Was macht sein Job?
□ ....

3

✚ Klaus, kannst du uns helfen?
● ....

4

▼ Sag mal, schmeckt dir das Eis?
■ ....

b Markieren Sie in a und ergänzen Sie.

		ich	du	er/sie	wir	ihr	sie/Sie
die Hose	passt						
der Job		mir	....	.... /ihr	....	....	ihnen/
ich							Ihnen
das Eis							

B3 **12 Was ist richtig? Kreuzen Sie an.**

a
◆ Hast du Patricias Kleid gesehen?
Das steht ○ ihm ☒ ihr sehr gut!
○ Ja, das finde ich auch.

b
▲ Wie finden Sie die Bluse?
□ Schön! Die Farbe steht
○ Ihnen ○ euch sehr gut.

c
◆ Wie funktioniert die Waschmaschine?
Kannst du ○ uns ○ euch bitte helfen?
○ Natürlich helfe ich ○ ihr. ○ euch.

d
▲ Ist die Sonnenbrille neu?
Die steht ○ euch ○ dir sehr gut.
□ Danke! ○ Mir ○ Dir gefällt sie auch.

◇ B3 **13 Schreiben Sie die Sätze neu mit *er – es – sie* und *ihm – ihr – ihnen*.**

a Oleks Freundin Renata hat Namenstag. Olek backt Renata einen Kuchen.
Oleks Freundin Renata hat Namenstag. Er backt ihr einen Kuchen.

b Sie essen den Kuchen zum Frühstück. Der Kuchen schmeckt Renata und Olek gut.
Sie essen den Kuchen zum Frühstück. ...

c Renata möchte abends mit Olek essen gehen und Renata möchte Olek gefallen.
Renata möchte abends mit Olek essen gehen und ...

d Am Nachmittag kauft Renata ein Kleid. Das Kleid steht Renata super.
Am Nachmittag kauft Renata ein Kleid. ...

e Im Restaurant bestellen Olek und Renata ihr Lieblingsessen. Das Essen schmeckt Olek und Renata sehr gut.
Im Restaurant bestellen Olek und Renata ihr Lieblingsessen. ...

❖ B3 **14 Schreiben Sie die Sätze neu mit *gefallen – schmecken – passen* in der richtigen Form.**

a Ich finde den Kuchen lecker. — Der Kuchen schmeckt mir.
b Ich finde dein Kleid zu lang. — Das Kleid passt ...
c Er findet den Mantel schön. — ...
d Sie findet die Jacke zu groß. — ...
e Wir finden den Salat lecker. — ...
f Wie findet ihr das Hemd? — ...
g Wie finden Sie die Pizza? — ...
h Wie finden Martin und Anna die Stühle? — ...

B4 **15 Markieren Sie noch acht Wörter und schreiben Sie mit • *der* – • *das* – • *die*.**

OLALANDSCHAFTAMECHAFENIRLANORDSEEEKELMIBERGALRWMEERKLUIR
STRANDÄMUWALDQUISUETOMULDORFANEBRATWURST

• die Nordsee

B4 **16 Ihr Land: Was gefällt/schmeckt Ihnen / Ihren Freunden / Ihrer Familie besonders gut?**
Schreiben Sie jeweils vier Sätze.

Lieblingsplätze
Ich: Das Meer gefällt mir besonders gut.
Meine Freundin: Der Wald gefällt ...
Mein Bruder: Die Strände im Süden ...

Typisches Essen
Ich: Salate schmecken mir besonders gut.
Meine Mutter: ...
Mein Vater: ...
Meine Großeltern: ...

B4 **17 Hören Sie und sprechen Sie nach.**

2 🔊 47
Phonetik

am Mittwoch – in Norddeutschland – aus Salzburg – mit dem Bus – Und du? – Gefällt dir das? – Wie findest du das? – Sind das seine Bücher? – Wohnst du in Nürnberg? – Was ist denn das? – Fährst du mit dem Fahrrad? – Kommst du aus Salzburg? – Das Hemd ist teuer, aber es sieht toll aus.

C Und hier: Die ist noch **besser**.

C2 **18 Ergänzen Sie:** ***mehr – besser – lieber*** **(++),** ***am meisten – am besten – am liebsten*** **(+++).**

a ◆ Wie ist dein Job? Bist du zufrieden?
○ Es geht. Ich möchte *lieber* (++) nur halbtags arbeiten.

b ◆ Geht es dir gut?
□ Ich war krank, aber jetzt geht es mir wieder ______ (++)

c Im E-Markt kostet ein Pfund Kaffee 6,99 Euro, bei Topfit kostet er ______ (++) und ______ (+++) kostet er bei Superspar.

d ○ Was machst du gern am Wochenende?
□ Ich gehe gern tanzen oder ins Kino, aber ______ (+++) koche ich.

e ✚ Was findest du ______ (++)? Das Hemd oder die Bluse?
◆ Die Bluse, aber ______ (+++) gefällt mir der Pullover.

C2 **19 Kleidung fürs Büro**

2 ◀)) 48 **a** Was ist richtig? Hören Sie und kreuzen Sie an.

1 Paula, Carla und John sind
○ im Café. ○ zu Hause.

2 Sie sprechen über ○ Einkäufe.
○ Probleme im Job.

b Was ist richtig? Hören Sie noch einmal, kreuzen Sie an und korrigieren Sie die falschen Sätze.

1 ○ Carla hat heute ~~wenig~~ eingekauft. *viel*
2 ○ Carla arbeitet bei einer Bank. ______
3 ○ Carla trägt am liebsten Schwarz. ______
4 ○ Paula meint: Die Farbe Blau steht Carla nicht. ______
5 ○ Carla hat Röcke, Blusen und eine Jacke gekauft. ______
6 ○ Carla kauft lieber Kleidung fürs Büro. ______
7 ○ Paula kauft gern Schuhe. ______
8 ○ John muss bei der Arbeit einen Anzug tragen. ______

C3 **20 Schreiben Sie.**

a Was macht Amidou viel?
☺ laufen
☺☺ Musik hören
☺☺☺ im Internet surfen

c Was machen Mila und Adrian gern?
☺ wandern
☺☺ Rad fahren
☺☺☺ Motorrad fahren

b Was kann Ajit gut?
☺ kochen
☺☺ Fahrräder reparieren
☺☺☺ Schach spielen

a Amidou läuft viel.
Aber noch mehr hört er Musik.
Und am meisten surft er im Internet.

D Welche meinst du? – Na, diese.

D2 21 Ergänzen Sie: *Welcher – Welches – Welche* und *Dieser – Dieses – Diese*.

a ◆ Welcher Regenschirm gehört dir? ○ Dieser hier.
b ◆ ______ Sofa gefällt Ihnen? ○ ______ hier.
c ◆ ______ Bluse steht mir? ○ ______ hier.
d ◆ ______ Finger tut dir weh? ○ ______ hier.
e ◆ ______ Socken passen euch? ○ ______ hier.

D2 22 *Welcher ...? – Dieser.*

Grammatik entdecken

a Verbinden Sie.

1 Welcher Mantel gefällt dir am besten?
2 Welchen Film wollen wir sehen?
3 Welches Fahrrad gehört dir? Dieses hier?
4 Welches Auto möchtest du kaufen?
5 Welche Hose steht mir?
6 Welche Brille soll ich nehmen?
7 Welche Schuhe passen dir am besten?
8 Welche Würste soll ich kaufen?

a Na, diese hier. Die anderen sind viel zu groß.
b Nein, dieses da. Mein Fahrrad ist rot.
c Dieser hier. Der ist schön warm.
d Diese da. Die passt perfekt und ist nicht zu kurz.
e Am liebsten diesen hier, den Krimi.
f Kauf diese hier. Die sind lecker.
g Nimm diese hier. Die ist nicht so teuer.
h Dieses da. Das ist nicht so groß. Da finde ich immer einen Parkplatz.

b Markieren Sie in a und ergänzen Sie.

	• der Mantel/Film	• das Fahrrad/Auto	• die Hose/Brille	• die Schuhe/Würste
Wer/ Was ...?	Welch*er*? Dies*er*.	Welch___? Dies___.	Welch___? Dies___.	Welch___? Dies___.
Wen/ Was ...?	Welch*en*? Dies___.	Welch___? Dies___.	Welch___? Dies___.	Welch___? Dies___.

D2 23 Verbinden Sie und ergänzen Sie: *Dieser – Diesen – Dieses – Diese*.

◆ Welcher
◆ Welchen
◆ Welches
◆ Welche

Fahrrad soll ich kaufen? ○ Dieses hier ist nicht so teuer, aber gut.
Buch möchtest du? ○ ______ da.
Schuhe soll ich nehmen? ○ ______ passen gut.
Rock findest du besser? ○ ______ da. Der gefällt mir.
Pullover gefällt dir besser? ○ ______ hier.
Pizza möchtest du lieber? ○ ______ hier, mit Käse und Tomaten.
Kuchen möchtest du? ○ ______ Schokoladenkuchen da.

◇ D2 24 Was ist richtig? Kreuzen Sie an.

a ◆ ☒ Welchen ○ Welcher Koffer findest du schön? ○ ○ Diesen ○ Dieser hier.
b ◆ ○ Welches ○ Welche Musik hörst du gern? ○ Jazz.
c ◆ ○ Welche ○ Welcher Rock gefällt dir? ○ ○ Diese ○ Dieser hier.
d ◆ ○ Welches ○ Welcher Buch gehört Victoria? ○ ○ Diesen ○ Dieses hier.
e ◆ ○ Welchen ○ Welche Stiefel stehen mir am besten? ○ ○ Dieses ○ Diese hier.

D2 25 Ergänzen Sie in der richtigen Form: *welche – diese*.

a
- ◆ Gehen wir dieses ______ Wochenende ins Kino?
- ○ Ja gern. ______ Film möchtest du sehen?

b
- ▲ Sag mal, ______ Übungen sollen wir machen?
- □ ______ da.

c
- ✚ ______ Formular muss ich ausfüllen?
- ● ______ hier.

d
- ● Hast du ______ Salat gemacht?
- ✚ ______ meinst du?
- ● Na, ______ da, den Kartoffelsalat. Der ist lecker.

e
- ◆ ______ Getränk magst du am liebsten?
- ▲ Orangensaft.

f
- ○ ______ Bus fährt zum Bahnhof?
- □ ______ da, die Nummer 5.

D3 26 Ergänzen Sie in der richtigen Form: *mögen – finden – gefallen*.

a
- ◆ Welche Farben mögt ______ ihr am liebsten?
- ○ Ich ______ Rot und Gelb.
- ▲ Mir ______ Blau besser. Und welche Farbe ______ du?
- ◆ Ich ______ auch Blau am besten.

b
- ◆ Es gibt heute Fisch. Ich hoffe, ihr esst Fisch?
- □ Ja, wir ______ alles: Fisch, Fleisch und Gemüse.
- ◆ Das ______ ich super. Da macht das Kochen gleich viel mehr Spaß.

c
- ▲ ______ deine Eltern Bratwürste?
- ● Also mein Vater ______ Bratwürste sehr gern. Aber meine Mutter isst nie Bratwürste.

d
- ○ Welche Witze ______ du lustig?
- ▲ Am besten ______ mir Arztwitze.

e
- ● Welcher Wochentag ______ dir gar nicht?
- □ Ich ______ den Montag nicht so toll. Nach dem Wochenende ist die Arbeit so schwer.

D3 27 Matteo und Elena beim Einkaufen

2 🔊 49 **a** Hören Sie und ergänzen Sie die Antwort.

1 Was ist im Moment günstig? ______
2 Wer kauft eine Jacke? ______

b Was ist richtig? Hören Sie noch einmal und kreuzen Sie an.

1 ☒ Matteo braucht eine Jacke.
2 ○ Er findet die Jacke zu kurz.
3 ○ Elena findet ihre Traumjacke.
4 ○ Die Jacke passt Elena perfekt.
5 ○ Die Jacke kostet 200 Euro.
6 ○ Matteo findet die Jacke zu teuer.
7 ○ Elena findet die Jacke günstig.
8 ○ Matteo kauft einen Mantel.

E1 **28 Markieren Sie noch neun Wörter und ordnen Sie zu. Ergänzen Sie mit • *der* – • *das* – • *die*.**

KUHKBECHERLIUTBLUSEGERTIKÜHLSCHRANKLADERKLEIDOLPTGLASO
ZAHNBÜRSTERIUDRUCKERAGERDZAHNPASTAJÜLADROCKHINBURSMANTELR

a Geschirr: • der Becher, ...

b Damenmode: ....

c Drogerie und Kosmetik: ....

d Elektrogeräte: ....

E2 **29 Was ist richtig? Kreuzen Sie an.**

a

▲ Entschuldigung, können Sie mir bitte helfen?

□ ○ Die finden Sie im Erdgeschoss.

□ ☒ Ja, natürlich.

b

▲ Ich suche Uhren. Wo gibt es die denn?

□ ○ Ja, Moment.

□ ○ Da müssen Sie ins Untergeschoss gehen.

c

▲ Haben Sie den Rock auch in Größe 40?

□ ○ Was kostet er denn?

□ ○ Ja, hier bitte.

d

▲ Entschuldigen Sie bitte, wo finde ich Schreibwaren? Wissen Sie das vielleicht?

□ ○ Wo ist denn die Kasse, bitte?

□ ○ Die sind gleich neben dem Eingang.

E2 **30 Ordnen Sie zu und schreiben Sie Gespräche.**

Haben Sie die Bluse auch in Rot?	Dort bei der Tür können Sie bezahlen.
Entschuldigung, wo ist denn die Kasse, bitte?	Nein, mit Schuhen ist sie perfekt.
~~Entschuldigung, ich finde die Spielwaren nicht.~~	Die finden Sie gleich neben der Kasse.
Ist die Größe so richtig? Ist die Hose nicht zu lang?	Nein, in Größe 40 haben wir sie nur noch in Blau.

A

◆ Entschuldigung, ich finde die Spielwaren nicht.

○ ....

B

▲ ....

□ ....

C

✚ ....

● ....

D

● ....

◆ ....

E

E3 31 Im Kaufhaus

a Wer sagt was? Lesen Sie und ergänzen Sie: Verkäufer (V), Kundin (K).

- (1) K Können Sie mir bitte helfen? Ich suche eine Hose.
- ( ) ..... Weiß ist auch nicht schlecht. Ich ziehe sie mal an.
- (2) V Ja, gern. Welche Größe haben Sie?
- ( ) ..... Ich hätte gern Schwarz oder Blau.
- ( ) ..... Ja, die passt mir. Die nehme ich.
- ( ) ..... Und welche Farbe hätten Sie gern?
- ( ) ..... Gut, dann probiere ich sie mal an.
- ( ) ..... Aber in Weiß habe ich sie auch in 38. Hier, bitte.
- (10) ..... Leider nicht. Die habe ich nur in dieser Größe.
- ( ) ..... Und? Passt Ihnen die Hose?
- ( ) ..... Ich brauche Größe 36.
- ( ) ..... Na ja, sie ist ein bisschen klein. Haben Sie die auch in 38?
- ( ) ..... Hier habe ich eine schöne Hose in Schwarz.
- ( ) K Das ist schade.
- ( ) ..... Und, passt die besser?

b Ordnen Sie und schreiben Sie das Gespräch.

K: Können Sie mir bitte helfen? Ich suche eine Hose.
V: Ja, gern. Welche ...

2 ◀)) 50 **c** Hören Sie und vergleichen Sie.

d Schreiben Sie ein Gespräch und spielen Sie mit Ihrer Partnerin / Ihrem Partner.

Kundin/Kunde	Verkäuferin/Verkäufer
Sie möchten einen Pullover in Blau oder in Rot kaufen. Sie haben Größe 52.	Sie haben den Pullover in Rot in Größe 52, den Pullover in Blau aber nur in Größe 54.

- • Entschuldigen Sie bitte, ich suche einen Pullover.
- ◇ Welche Farbe möchten Sie?
- • ...

E3 32 Lesen Sie und kreuzen Sie an: richtig oder falsch?

Prüfung

a Im Kaufhaus

Winterkleidung kostet jetzt mehr als normal. ○ richtig ○ falsch

b Im Elektrogeschäft

Wir machen Urlaub!

Unser Geschäft ist vom 03.07. – 24.07. geschlossen.
Wir bitten um Ihr Verständnis.

Sie können am 25.07. wieder einkaufen. ○ richtig ○ falsch

c In der Bäckerei

Öffnungszeiten

montags – freitags *8.00 – 18.00 Uhr*
samstags *8.00 – 13.00 Uhr*

Es ist Samstagnachmittag.
Sie können jetzt keine Brötchen kaufen. ○ richtig ○ falsch

E3 33 Wählen Sie eine Situation und schreiben Sie eine E-Mail.

Schreib-training

a

Eine Freundin / Ein Freund macht bald eine Reise nach Marokko. Sie/Er soll etwas mitbringen: zwei T-Shirts von „Onyx". Sie finden die ganz toll und sie sind dort sicher günstig. Nennen Sie die Größe und Farbe. Danken Sie und schreiben Sie einen Gruß.

E-Mail senden

Liebe/r ...,
Du fährst doch bald nach Marokko ...

b

Eine Freundin / Ein Freund fährt am Wochenende nach Dortmund zum Spiel von Borussia Dortmund. Sie/Er soll etwas mitbringen: eine Baseballcap und eine Jacke aus dem Fan-Shop. Nennen Sie die Größe.
Danken Sie und schreiben Sie einen Gruß.

E-Mail senden

Liebe/r ...,
am Wochenende fährst Du doch nach Dortmund ...

Test Lektion 13

1 Markieren Sie noch neun Wörter und ordnen Sie zu.

1 ...... /9 Punkte — WÖRTER

AGRBERGLUPTRU(PULLOVER)RTJACKETURSCHUHEHOLWALD
MUDANZUGALBDORFBÜRSTMEERVMANTELRUHSTRANDVO

a Kleidung: Pullover, ...

b Landschaft: ......

● 0–4 ● 5–7 ● 8–9

2 Ergänzen Sie.

2 ...... /11 Punkte — GRAMMATIK

a
- ◆ Wie gefällt dir der Mantel?
- ○ Welch...... ? D...... hier?
- ◆ Nein, dieser dort.
- ○ D...... finde ich nicht so schön.

b
- ▲ Welch...... Tasche gehört Ira?
- ◻ Ich glaube, dies...... da.

c
- ◻ D...... Kleid sieht ja toll aus.
- ◆ Nein, d...... gefällt mir nicht. Aber dies...... ist schön.

d
- ✚ Welch...... Stiefel soll ich nehmen?
- ● Dies......! D...... sind schön.

3 Was ist richtig? Kreuzen Sie an.

3 ...... /4 Punkte

a ◆ Deine Bluse ist schön! Die steht ☒ dir ○ mir sehr gut.
  ○ Oh, danke! ○ Mir ○ Dir gefällt sie auch sehr gut.

b ◆ Kannst du ○ euch ○ uns bitte mit den Koffern helfen?
  ○ Klar helfe ich ○ uns. ○ euch.

c ◆ Wie findest du Marias Hose?
  ○ Super! Die passt ○ ihr ○ ihm perfekt.

4 Ergänzen Sie in der richtigen Form: *gut – gern – viel*.

4 ...... /5 Punkte

a ◆ Isst du gern Salat?
  ○ Ja, aber noch lieber ☺☺ esse ich Obst.
  Und ...... ☺☺☺ esse ich Pizza.

b ✚ Kannst du gut Fußball spielen?
  ◻ Ja, aber noch ...... ☺☺ kann ich Handball spielen.
  Und ...... ☺☺☺ spiele ich Tennis.

c Im Supermarkt kostet der Kuchen viel. In der Bäckerei kostet er ...... ☺☺, aber ...... ☺☺☺ kostet er im Café.

● 0–9 ● 10–15 ● 16–20

5 Verbinden Sie.

5 ...... /4 Punkte — KOMMUNIKATION

a ◆ Entschuldigung, wo gibt es Gürtel? — 4
b ◆ Haben Sie das Hemd auch in Größe 56?
c ◆ Wie steht mir diese Farbe?
d ◆ Haben Sie das Kleid auch in Rot?
e ◆ Wo ist denn hier die Kasse, bitte?

1 ○ Nein, nur in Blau.
2 ○ Sehr gut.
3 ○ Da vorne.
4 ○ Im Erdgeschoss.
5 ○ Ja hier, bitte.

● 0–2 ● 3 ● 4

1 Wie gefällt Ihnen Ihr Beruf?

a Welcher Beruf ist das? Ordnen Sie zu.

A

B

C

Fußballtrainer ....

2 51–53 b Hören Sie drei Gespräche und ordnen Sie die Bilder aus 1 zu.

Gespräch	1	2	3
Bild			

2 51–53 c Was ist richtig? Hören Sie noch einmal und kreuzen Sie an.

1 ○ Frau Lohse ist Klavier- und Cellolehrerin.
○ Sie hat mit ihrem Mann eine Musikschule.
○ Der Unterricht ist nur für Kinder.

2 ○ Herr Kleinert arbeitet am Vormittag im Büro.
○ Er trainiert Jugendliche und Erwachsene.
○ Er findet seine Arbeit manchmal langweilig.

3 ○ Frau Kirova passt auf Hunde auf.
○ Sie kommt wie ein Babysitter zu ihren Kunden nach Hause.
○ Sie ist nicht angestellt.

2 Was gefällt Ihnen an Ihrer Arbeit / Ihrer Ausbildung (nicht) gut? Schreiben Sie.

Ich bin ... von Beruf. / Ich arbeite als ...
Ich finde meine Arbeit nicht so gut. / gut. / sehr gut.
Meine Arbeit ist interessant/super/...
Mir gefällt ... gut. / am besten.
Ich mache am liebsten ...
Meine Arbeit macht mir viel / nicht so viel Spaß.
Ich bin gern selbstständig/angestellt.

Ich bin Journalist von Beruf.
Meine Arbeit ...

A Am **fünfzehnten** Januar fange ich an.

A2 **1 Jahreszeiten und Monate in Europa: Ergänzen Sie und vergleichen Sie.**

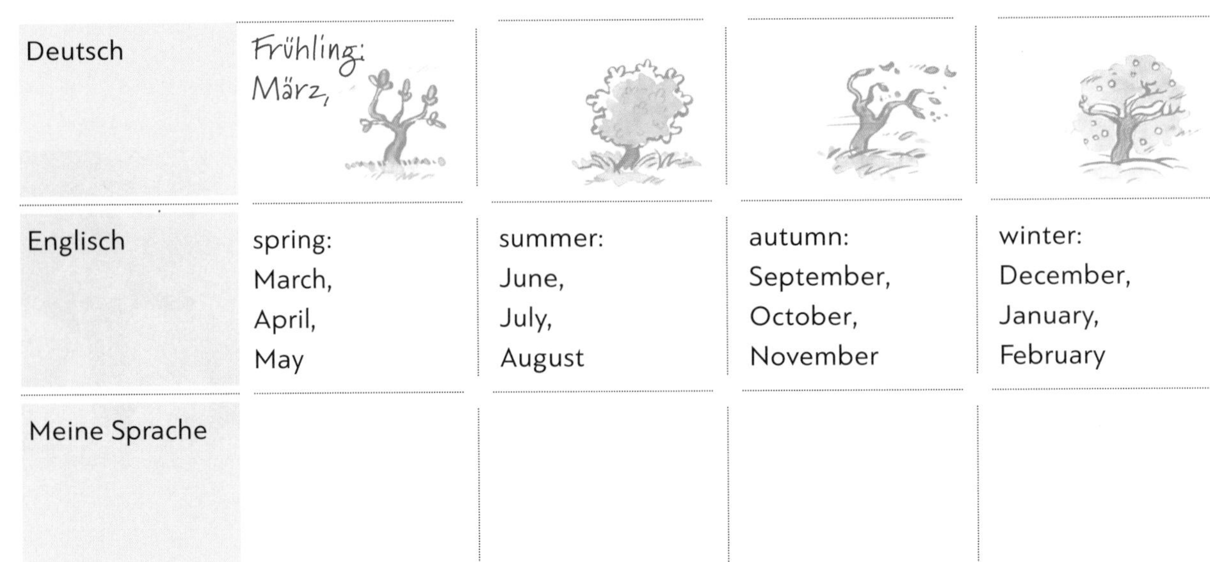

Deutsch	Frühling: März,			
Englisch	spring: March, April, May	summer: June, July, August	autumn: September, October, November	winter: December, January, February
Meine Sprache				

A3 **2 Ergänzen Sie.**

a 23.08. der dreiundzwanzigste August
b 20.04. ....
c 15.06. ....
d 12.02. ....
e 03.11. ....
f 01.01. ....

A3 **3 Was macht Bruno im Mai?**
Sehen Sie den Kalender an und ergänzen Sie.

a Am ersten Mai muss Bruno nicht arbeiten.
b .... spielt er Fußball.
c .... kann er sein Auto abholen.
d .... feiert Julia Geburtstag.
e .... muss er zum Zahnarzt.
f ....
hat er Urlaub.
g .... kauft er Blumen für Julia.
h ....
besucht er Tante Eva in Dortmund.

{Mai}

1	Fr	Feiertag! Frei! ☺
2	Sa	Tante Evas 50. Geburtstag
3	So	
4	Mo	
5	Di	Werkstatt!
6	Mi	
7	Do	Zahnarzttermin
8	Fr	Blumen kaufen
9	Sa	Party bei Julia
10	So	Fußballspiel gegen FC Puch
11	Mo	Juhu! Italien!
12	Di	
13	Mi	
14	Do	
15	Fr	

A3 **4 Hören Sie und ergänzen Sie.**

2 ◀)) 54–58

a Omas Geburtstag: am 4. Oktober
b Antrag abgeben: ....
c neuer Termin: ....
d Konzert: ....
e Party: ....

B Ich habe **dich** sehr lieb, Opa.

B1 **5 Markieren Sie den Akkusativ und ergänzen Sie die Tabelle.**

Grammatik entdecken

a Marta bringt die Getränke für die Party mit. Ich habe sie gerade gefragt.
b Was schenken wir Sandra? Soll ich etwas kaufen? Ruf mich bitte an.
c Hakim kommt auch zu Henrys Geburtstag. Ich habe ihn lange nicht mehr gesehen.
d Bist du zu Hause? Ich rufe dich gleich an.
e Wir sind an Karneval in Köln. Besucht uns doch.
f Die Blumen für Opas Geburtstag sind im Wohnzimmer, vergiss sie nicht!
g Was macht ihr am Feiertag? Wir fahren nach Mainz. Sollen wir euch mitnehmen?

ich	du	er	es	sie	wir	ihr	sie/Sie
………	………	………	es	sie	………	………	……… /Sie

B2 **6 Markieren Sie: Wer?/Was? und Wen?/Was?**

a Leon hat zum Geburtstag ein Fahrrad bekommen. Er findet es toll.
b Emily hat eine Salbe gekauft. Sie verwendet sie jeden Tag.
c Leni hat einen Bruder. Ich finde ihn sehr nett.
d Wollt ihr am Wochenende auch nach Berlin? Ich kann euch gern mitnehmen.
e Mia und Ben haben zwei Sessel gekauft. Sie finden sie sehr schön.
f Bitte ruf mich vor 19 Uhr an. Danach bin ich beim Sport.
g Bist du heute im Büro? Wann kann ich dich sprechen?

B2 **7 Ordnen Sie zu.**

dich | euch | es | Er | ihn | Es | mich | Sie | sie | ihr | Sie | ~~du~~

a
◆ Kennst du ……… Ricardos Mutter? ……… ist zurzeit in Deutschland.
○ Ja, ich habe ……… letzte Woche kennengelernt.

b
◆ Das ist mein Auto. ……… ist neu. Ich liebe ……… einfach!

c
◆ Ich fahre später zum Supermarkt.
○ Wunderbar! Nimmst du ……… mit?

d
◆ Entschuldigung, Frau Schubert, kann ich ……… etwas fragen?
○ Natürlich.

e
▲ Hallo, Paula. Wie geht's dir?
◆ Hallo, Jessica. Hallo, Simon. Ich habe ……… ja schon lange nicht mehr gesehen. Was macht ……… so?

f
◆ Den Film musst du sehen. ……… ist super. Ich habe ……… schon zweimal gesehen.
○ Gehst du noch mal mit?
◆ Na, klar. Ich hole ……… um 19 Uhr ab, um 20 Uhr beginnt der Film.

◇ B2 8 Ergänzen Sie.

A
Alles Gute zum Valentinstag. Ich habe *dich* .... sehr lieb! Küsse Max

B
Hallo Nils und Kathi, kann ich .... am Wochenende besuchen? Ich glaube, das Wetter wird super! :-) Lutz

C
Hallo Tom, vergiss bitte nicht die Tickets für Rocky! Oder hast du .... schon gekauft? Und Lena? Kommt sie? Hast du .... gefragt? Gruß, Jo

D
Opa hat heute Geburtstag! Hast du schon das Geschenk für .... gekauft oder soll ich .... kaufen? Eine Geburtstagskarte brauchen wir auch noch. Ruf .... doch bitte an. LG Sam

E
Hallo Marc, ruf .... doch bitte an. Eli + Semra

❖ B2 9 Schreiben Sie die Sätze neu mit *er – ihn – es – sie*.

a Meine Freundin wohnt in Frankfurt.
Meine Freundin hat zwei Kinder.
Sie hat zwei Kinder.

b ◆ Kennst du John?
○ Ja, natürlich. Ich kenne John schon lange.
....

c ◆ Wo finde ich die Rezeption?
○ Sie finden die Rezeption da hinten.
....

d Frank ist von Beruf Taxifahrer.
Frank arbeitet bei „Taxandgo".
....

e ◆ Kaufst du den Rock?
○ Nein. Ich finde den Rock nicht so schön.
....
....

f ◆ Kannst du das Hotel „Sonne" empfehlen?
○ Nein. Ich kann das Hotel „Sonne" nicht empfehlen.
....

g Vielen Dank für die Blumen.
Die Blumen sind sehr schön.
....

B4 10 Hannahs Geburtstagsparty: Schreiben Sie.

die Küche putzen
die Blumen kaufen
die Getränke holen
den Nachtisch machen
die Pizza backen
das Geschenk kaufen
das Geschirr waschen

Ich habe sie schon geputzt.

C Wir feiern Abschied, **denn** ...

C2 11 Ordnen Sie zu.

heute Abend kommen Freunde | er muss noch lernen | ~~er hat nicht genug Geld~~ | er hat den Schlüssel vergessen

a Herr Nehm kann das Auto nicht kaufen, denn er hat nicht genug Geld.

b Frau Nehm putzt die Wohnung, denn ....

c Moritz kann die Tür nicht öffnen, denn ....

d Leo darf nicht fernsehen, denn ....

◇ C2 12 Schreiben Sie Sätze mit *denn*.

a Meine Großmutter fährt viel Fahrrad, ...
(keinen Führerschein – hat – sie)

b Herr Kaiser fährt lieber mit dem Auto, ...
(nicht – er – mag – Busse und Züge)

c Alina gibt das Gepäck ab, denn in einer Stunde geht ihr Flug.
(in einer Stunde – ihr Flug – geht)

d Stefan nimmt gern den Bus, ...
(nicht viel – ein Busticket – kostet)

e Herr Ilg kann nicht zur Arbeit fahren, ...
(heute nicht – fahren – die S-Bahnen)

◆ C2 13 Und Sie? Schreiben Sie Sätze mit *denn*.

a Ich kann dir keine E-Mail schreiben, denn mein Laptop ist kaputt.

b Ich mache eine Feier, ...

c Ich gehe nicht in den Deutschkurs, ...

d Ich habe keine Zeit, ...

e Ich bin sauer, ...

f Mir geht es heute nicht so gut, ...

g Meine Lieblingsjahreszeit ist ...., denn ....

C3 14 Hören Sie und sprechen Sie nach.

2 🔊 59
Phonetik

a Wir feiern heute Abschied, → denn nächste Woche endet der Deutschkurs. ↘

b Ich bringe einen Salat mit → und Peter kauft die Getränke. ↘

c Ich möchte gern ein Auto kaufen, → aber ich habe kein Geld. ↘

d Heute Nachmittag gehe ich schwimmen → oder ich fahre mit dem Fahrrad. ↘

e Kommst du um drei Uhr ↗ oder kannst du erst um fünf kommen? ↘

f Trinkst du einen Kaffee ↗ oder möchtest du lieber einen Tee? ↘

D Einladungen

D1 15 Was ist richtig? Kreuzen Sie an.

a ein Fest ☒ organisieren ○ einladen
b Geburtstag ○ freuen ○ feiern
c Bescheid ○ geben ○ haben
d Glück und Gesundheit ○ bekommen ○ wünschen
e eine Einladung ○ nehmen ○ schreiben
f die Grillsaison ○ einladen ○ eröffnen
g Nachbarn ○ einladen ○ freuen
h für Essen und Getränke ○ sorgen ○ kaufen
i eine Veranstaltung ○ besuchen ○ geben

D1 16 Wie alt werden Sie?

a Ergänzen Sie *werden* in der richtigen Form.

1 Mein Mann und ich, wir werden dieses Jahr zusammen 65 Jahre alt.
2 Wie alt .... ihr?
3 Was? Du .... schon 30?!
4 Tine und Bine .... im Juni 18.
5 Sie .... heute 80? Herzlichen Glückwunsch, Frau Becker.
6 Ich .... nächste Woche 40.

b Ihre Kollegen, Ihre Freunde ...
Wer wird wann wie alt? Schreiben Sie fünf Sätze.

Mein Kollege Hans wird am 21. Mai 49. Meine Deutschlehrerin ...

D2 17 Eine Einladung schreiben

Schreibtraining

a Ordnen Sie.

E-Mail senden

(7) Ich würde mich freuen.
○ am Freitag werde ich 40 Jahre alt
(5) Wann und wo: am Samstag, 30.3., um 20 Uhr bei mir zu Hause.
○ Liebe Corinna, lieber David,
○ Ich lade Euch zum Abendessen ein.
○ Könnt Ihr kommen?
○ Herzliche Grüße
○ Bitte gebt bis Mittwoch, 27.3., Bescheid.
○ Alina
○ und das möchte ich gern zusammen mit Euch feiern.

b Sie können kommen. Schreiben Sie eine Antwort an Alina.

Liebe Alina, vielen Dank ...

c Machen Sie Notizen und schreiben Sie eine Einladung an Ihre Nachbarin / Ihren Nachbarn zu einem Fest in Ihrem Land. Hilfe finden Sie in a.

Welches Fest? ....
Datum und Uhrzeit? ....
Ort? ....
Bitte um Antwort bis ...? ....

Denken Sie auch an Anrede, Gruß und Unterschrift.

Lieber Herr Müller, nächste Woche feiern wir Songkran. Das ist ...

E2 18 Ergänzen Sie.

a terseOsha ● der Osterhase
b erEi ensteckver ....
c tenbraLamm enses ....
d koNilaus ....
e ckSa ....
f zenKer zünanden ....
g derLie gensin ....
h schenGeke enpackaus ....

E2 19 Was ist Ihr Lieblingsfest?

2 ◀)) 60–62 **a** Hören Sie und ordnen Sie die Gespräche zu.

○ 

① 

○ 

b Hören Sie noch einmal und ergänzen Sie.

Gespräch	Lieblingsfest	Mit wem feiert sie/er?	Was macht sie/er?
1	Weihnachten		Weihnachtslieder singen
2			
3			

E3 20 Ergänzen Sie die Glückwünsche.

A ....
B ....
C ....
D ....

E3 **21 Verbinden Sie und schreiben Sie.**

a	Herzlichen	1	Glück!	....
b	Viele	2	Gute!	....
c	Viel	3	Glückwunsch!	....
d	Alles	4	Grüße!	....

E3 **22 Lesen Sie die Texte und die Aufgaben. Wo finden Sie die Informationen? Kreuzen Sie an.**

Prüfung

a Sie brauchen ein Hochzeitskleid.

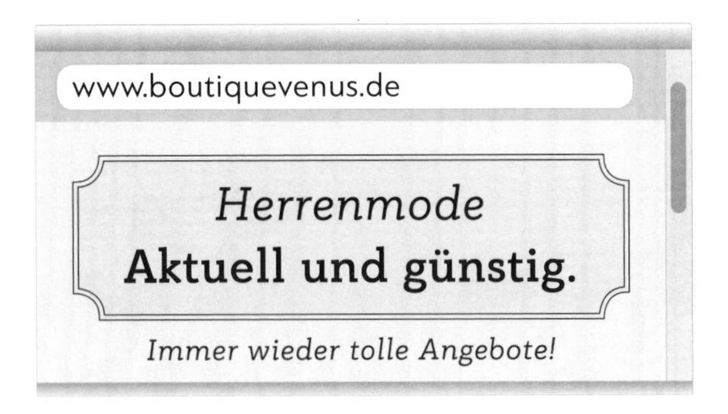

1 ○ www.boutiquevenus.de

2 ○ www.carmenpereira.de

b Sie wollen eine Geburtstagsfeier für Ihr Kind machen.

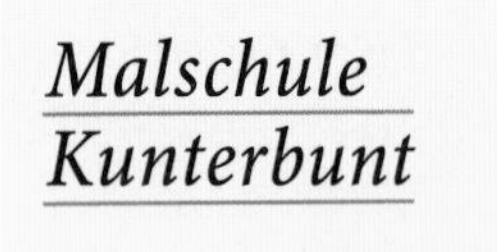

1 ○ Malschule Kunterbunt

2 ○ Konrads Clown-Service

c Sie haben am 27. Juli Ihren Hochzeitstag und möchten ihn zu Hause mit Gästen feiern.

1 ○ www.party-catering-leipzig.de

2 ○ www.sommerparty-dresden.de

Test Lektion 14

14

1 Ordnen Sie zu.

1 ...... /6 Punkte — WÖRTER

August | Einladung | Geschenk | Glückwunsch | feiern | ~~liebe~~ | Blumen

Am 24. .... (a) sind Maria und Horst zehn Jahre verheiratet. Horst kauft dann .... (b) für Maria und sagt: „Ich liebe .... dich." (c) Auch Maria hat ein .... (d) für Horst, zum Beispiel eine .... (e) für einen Ausflug. Ihren Hochzeitstag .... (f) sie mit der ganzen Familie. Alle sagen: „Herzlichen .... (g)!"

...... ● 0–3 ● 4 ● 5–6

2 Ergänzen Sie in der richtigen Form.

2 ...... /4 Punkte — GRAMMATIK

a ◆ Wann fährst du nach Berlin?
○ Am einunddreißigsten (31.) Juli.

b ▼ Wie lange fährst du weg?
■ Vom .... (1.) bis zum .... (7.) Mai.

c ✚ Hast du noch Urlaub?
● Ja, noch bis zum .... (3.) Oktober.

d ▲ Welches Datum ist heute?
□ Der .... (11.) März.

3 Ergänzen Sie.

3 ...... /5 Punkte

A: Hallo Leo! Kannst du mich .... später abholen? Mein Fahrrad ist kaputt. Vielleicht kannst du .... reparieren. Sanne

B: Hallo Ali, hallo Zoltán, ich feiere am 3.3. meinen Abschied und lade .... herzlich dazu ein. Bringt auch eure Familien mit. Ich möchte .... gern kennenlernen.

C: Hallo Paul, Opa wird am Samstag 75. Hast du schon ein Geschenk für ....? Ich rufe .... heute Abend an, ja? Britta

4 Schreiben Sie die Sätze neu mit *denn*.

4 ...... /3 Punkte

a Galina braucht ein Kleid. Sie geht zu einer Hochzeit.
b Bob feiert seinen Geburtstag nicht. Er findet Geburtstage nicht wichtig.
c Henry fährt am Montag nach Mainz. Es ist Karneval.
d Mandy organisiert eine Party. Sie hat eine neue Wohnung.

a Galina braucht ein Kleid, denn sie geht zu einer Hochzeit.

...... ● 0–6 ● 7–9 ● 10–12

5 Schreiben Sie eine Einladung.

5 ...... /7 Punkte — KOMMUNIKATION

(ich – Geburtstag – habe – am Mittwoch – und – Jahre alt – werde – 43)! (a)
(Das – gern zusammen mit Euch – ich – möchte – feiern). (b)
(Euch – ein – zu Kaffee und Kuchen – lade – Ich): (c)
(am 13. Januar – um 15 Uhr – im Café Mozart). (d)
(kommen – Kannst – Du)? (e)
(würde – Ich – freuen – mich). (f)
(Anastasia – Viele Grüße) (g)

Liebe/r ...,
ich habe am Mittwoch Geburtstag und ...

...... ● 0–3 ● 4–5 ● 6–7

Fokus Beruf: Feiern im Büro

1 Lesen Sie die Einladungen und ordnen Sie zu.
Ergänzen Sie dann die Tabelle.
◯ Geburtstag (A) Abschied von Kollegen ◯ der erste Arbeitstag

A

Liebe Kolleginnen und Kollegen,

nächsten Monat werde ich 65 Jahre alt und am Freitag, 30.4.,
ist mein letzter Arbeitstag. Das möchte ich gern zusammen mit
Ihnen bei einem Glas Sekt feiern.
Wann? Am Freitag um 17 Uhr in der Kantine.
Können Sie kommen? Bitte geben Sie mir bis zum 26.4. Bescheid.
Ich würde mich freuen.

Herzliche Grüße
Konrad Küster

EINLADUNG

B

E-Mail senden

Hallo, liebe Kolleginnen und Kollegen,
am 24. Juni werde ich 30 Jahre alt.
Das möchte ich mit Euch feiern.
Ich lade Euch herzlich zu Kaffee und
Kuchen ein. Kommt Ihr? Bitte!
Ich freue mich. Ab 16 Uhr in der
Teeküche. Bis dann!
Viele Grüße
Lisa

C

E-Mail senden

Liebe Kolleginnen und Kollegen,
ich habe Kuchen gebacken und
mitgebracht, denn heute ist
mein erster Arbeitstag in der
IT-Abteilung. Er wartet in der
Küche auf Sie.
Ich freue mich auf gute
Zusammenarbeit!
Viele Grüße
Corinna Semmler

2 Ordnen Sie zu.

Sie bedanken sich: f, ...
Sie kommen und sagen zu: ....
Sie können nicht kommen und sagen ab: ....

a Ich komme sehr gern!
b Vielen Dank für die Einladung!
c Ich kann leider nicht kommen.
d Ich komme ein bisschen später.
e Tut mir leid, aber ich habe keine Zeit.
f ~~Das ist sehr nett von Dir/Ihnen.~~
g Deine/Ihre Einladung hat mich sehr gefreut.
h Ich würde gern kommen, aber leider ...

3 Wählen Sie eine Einladung aus 1 und schreiben Sie eine Zu- oder Absage.

Liebe/Lieber ...,
vielen Dank ...

Anhang

8 Beruf und Arbeit

FOTO-HÖRGESCHICHTE

1	• die Geschichte, -n		Die Geschichte spielt in Sofias Praxis.
	• das Krankenhaus, ¨-er		Die Geschichte spielt im Krankenhaus.
	• das Interview, -s		Lara und Tim machen ein Interview für den Deutschkurs.
	• die Ausbildung, -en		Sie sprechen mit Sofia über Ausbildung und Beruf.
	• der Beruf, -e		Sie sprechen mit Sofia über Ausbildung und Beruf.
	• der Chef, -s / • die Chefin, -nen		Der Mann ist Sofias Chef.
	• der Patient, -en / • die Patientin, -nen		Herr Koch ist Sofias Patient.
	• der Journalist, -en / • die Journalistin, -nen		Er ist Journalist von Beruf.
	• der Hausmeister, - / • die Hausmeisterin, -nen		Herr Koch ist Hausmeister von Beruf.
3	• das Thema, Themen		Das Thema ist „Arbeit und Beruf“.
	eigen-		Sofia hat eine eigene Praxis.

A

A1	als		Ich arbeite als Hausmeister.
A2	• der Arzt, ¨-e / • die Ärztin, -nen		Sie ist Ärztin.
	• der Ingenieur, -e / • die Ingenieurin, -nen		Er ist Ingenieur von Beruf.
	• der Hausmann, ¨-er / • die Hausfrau, -en		Sie ist Hausfrau.
	• der Polizist, -en / • die Polizistin, -nen		Sie arbeitet als Polizistin.
	• der Krankenpfleger, -		Er ist Krankenpfleger von Beruf.
	• die Krankenschwester, -n		Sie ist Krankenschwester von Beruf.
A3	beruflich		Was machen Sie beruflich?
	• der Schüler, - / • die Schülerin, -nen		Ich bin Schüler.

	• der Student, -en / • die Studentin, -nen	....	Ich bin Student.
	• der Job, -s	....	Ich habe einen Job als Hausmeister.
	• die (Arbeits-) Stelle, -n	....	Ich habe eine (Arbeits-)Stelle als Ärztin.
	selbstständig	....	Ich bin selbstständig.
	berufstätig	....	Ich bin nicht berufstätig.
	arbeitslos	....	Ich bin arbeitslos.
	• Babysitter, - / • die Babysitterin, -nen	....	Ich habe einen Job als Babysitterin.

B

B1	dauern (hat gedauert)	....	Wie lange hat die Ausbildung gedauert? – Drei Jahre.
	seit	....	Und seit wann bist du schon selbstständig? – Seit vier Jahren.
B3	• die Bewerbung, -en	....	Bewerbung um ein Praktikum im Marketing
	• das Praktikum, Praktika	....	Frau Szabo möchte ein Praktikum bei „mediaplanet" machen.
	• der Leiter, - / • die Leiterin, -nen	....	Der Abteilungsleiter hat noch Fragen.
	• die Frage, -n	....	Herr Winter hat noch Fragen.
	geehrt	....	Sehr geehrter Herr Winter, ...
	• die Abteilung, -en	....	Ich möchte in Ihrer Abteilung ein Praktikum machen.
	• die Wirtschaft (Sg.)	....	Ich habe in Budapest Wirtschaft studiert.
	gerade	....	Ich habe gerade mein Diplom gemacht.
	• das Diplom, -e	....	Ich habe gerade mein Diplom gemacht.
	• das Büro, -s	....	Ich habe im Büro bei „S&P Media" gearbeitet.
	• die Information, -en	....	Für weitere Informationen stehe ich gern zur Verfügung.
	• der Gruß, ¨-e	....	Mit freundlichen Grüßen

Lernwortschatz

B5	heiraten (hat geheiratet)	Wann hast du geheiratet?
	eigentlich	Wann bist du eigentlich geboren?
	später	Ich habe in Florenz und später in Rom gelebt.
	• der Reiseführer, - / • die Reiseführerin, -nen	In Rom habe ich als Reiseführer gearbeitet.
	• der Tourist, -en / • die Touristin, -nen	Ich habe Touristen die Stadt gezeigt.
	zeigen (hat gezeigt)	Ich habe Touristen die Stadt gezeigt.

C

C1	• die (Berufs-) Erfahrung (Sg.)	Ich hatte ja noch fast keine (Berufs-)Erfahrung.
C2	manchmal	Ich habe die Kunden manchmal nicht verstanden.
	• der Kellner, - / • die Kellnerin, -nen	Ich glaube, ich war keine gute Kellnerin.
C3	• der Architekt, -en / • die Architektin, -nen	Ich war Architektin.
	• der Arbeiter, - / • die Arbeiterin, -nen	Ich war Arbeiter.
	wenig	Ich hatte wenig Arbeit.
	• der Kollege, -n / • die Kollegin, -nen	Die Kollegen waren nett.

D

D1	• der Koch, ¨-e / • die Köchin, -nen	Ich arbeite seit drei Jahren als Koch.
	• die Uni(versität), -en	Ich studiere Informatik an der Universität in Würzburg.
	leider	Mein Deutsch ist leider noch nicht sehr gut.
	• das Semester, -	Ich suche einen Job für die Semesterferien.
	bekommen (hat bekommen)	Vielleicht bekomme ich ja einen Job mit vielen Kollegen.
	bald	Bald gehe ich für drei Monate nach Hamburg.

	• das Konzert, -e		Ich mache ein Praktikum bei einer Konzertagentur.
	• die Agentur, -en		Ich mache ein Praktikum bei einer Konzertagentur.
	danach		Danach suche ich noch für zwei Monate ein Praktikum in Österreich oder in der Schweiz.
	• das Studium, Studien		Im Herbst fängt dann mein Studium wieder an.
	letzt-		Im letzten Jahr hatte ich für sechs Wochen einen Job.
	• der Service, -s		Ich hatte einen Job bei einem Catering-Service.
	• der Tourismus (Sg.)		Ich arbeite in der Tourismus-Branche.
	• der Kontakt, -e		Kontakt: wiese@originell-catering.ch
	• die Kenntnisse (Pl.)		Sie haben sehr gute Englischkenntnisse.
	• das Team, -s		Bei uns arbeiten Sie im Team.
	(an)bieten (hat angeboten)		Wir bieten Praktikumsstellen für mindestens einen Monat (an).
	• der / • die Auszubildende, -n		Wir suchen eine Auszubildende als Köchin.
	• die Unterlagen (Pl.)		(Bewerbungs-)Unterlagen bitte an: ...

E

E1	• der Handel (Sg.)		Ich arbeite in einem Modehaus, also im Handel und Gewerbe.
	• der Traum, ⸚e: Traum-		Sie suchen Ihren Traumjob im Bereich Mode?
	• der Bereich, -e		Sie suchen Ihren Traumjob im Bereich Mode?
	• die Mode, -n		Mein Traumjob ist im Bereich Mode.
	jed-		jeden Vormittag = vormittags
	montags, dienstags, mittwochs, ...		jeden Montag/Dienstag/Mittwoch/...
	vormittags, nachmittags		jeden Vormittag/Nachmittag
	morgens/mittags/abends		jeden Morgen/Mittag/Abend

	• der Praktikant, -en / • die Praktikantin, -nen		Die Praktikanten arbeiten montags bis freitags.
	schriftlich		Die Firma will eine Bewerbung schriftlich.
E2	• die Dauer (Sg.)		Praktikumsdauer: 2–4 Monate
	frei		Ist die Stelle noch frei?
	normalerweise		Praktikanten arbeiten normalerweise von 8 bis 17 Uhr.
	• das Geld (Sg.)		Bekomme ich für das Praktikum auch Geld?
	zahlen		Wir zahlen 12 Euro pro Stunde.
	pro		Wir zahlen 500 Euro pro Monat.
	• die Stunde, -n		Wir zahlen 12 Euro pro Stunde.

Berufe

- • der Journalist, -en • die Journalistin, -nen
- • der Arzt, ⸚e • die Ärztin, -nen
- • der Krankenpfleger, - • die Krankenschwester, -n
- • der Ingenieur, -e • die Ingenieurin, -nen
- • der Polizist, -en • die Polizistin, -nen
- • der Kellner, - • die Kellnerin, -nen
- • der Koch, ⸚e • die Köchin, -nen
- • der Architekt, -en • die Architektin, -nen
- • der Arbeiter, - • die Arbeiterin, -nen
- • der Babysitter, - • die Babysitterin, -nen

TIPP
Schreiben Sie neue Wörter und Beispielsätze auf Kärtchen.

beruflich →
Was machen Sie beruflich?

9 Unterwegs

FOTO-HÖRGESCHICHTE

	mit·kommen (ist mitgekommen)		Na los, kommt mit!
1	• der Führerschein, -e		Haben Sie einen Führerschein?
2	• das Ticket, -s		Sie wollen ein Busticket kaufen.

	• das Amt, ¨-er	Sie sind auf einem Amt.
	gültig	Ist der Führerschein gültig?
	mieten (hat gemietet)	Sie wollen ein Auto mieten.
4	ausländisch	Mit einem ausländischen Führerschein kann man nur acht Monate in Deutschland fahren.
	europäisch	Lara kommt aus der Europäischen Union.
	• die Europäische Union (EU) (Sg.)	Lara kommt aus der EU.
	jung	Sie ist zu jung.
	• die Fahrkarte, -n	Sie kaufen Fahrkarten im ZOB.
	• die Fahrt, -en	Die Fahrt dauert nur zwei Stunden.

A

A1	• der Antrag, ¨-e	Tim muss einen Antrag ausfüllen.
	müssen, ich muss, du musst, er muss	Sie müssen einen Antrag ausfüllen.
	aus·füllen (hat ausgefüllt)	Tim muss einen Antrag ausfüllen.
	• der Ausweis, -e	Er muss den Ausweis mitbringen.
	mit·bringen (hat mitgebracht)	Er muss den Ausweis mitbringen.
A2	• der Pass, ¨-e	Man muss einen Reisepass mitbringen.
	• die Kreditkarte, -n	Man muss eine Kreditkarte haben.
A3	verstehen (sich) (hat verstanden)	Der Mann versteht den Automaten nicht.
	• der Automat, -en	Der Mann versteht den Automaten nicht.
	aus·wählen (hat ausgewählt)	Sie müssen „Erwachsener“ oder „Kind“ auswählen.
	• das Ziel, -e	Sie müssen das Ziel wählen.
	wählen (hat gewählt)	Sie müssen das Ziel wählen.
	man	Man muss das Ziel wählen.
	zuerst	Zuerst müssen Sie das Ziel wählen.
	danach	Und danach müssen Sie bezahlen.
	dann	Und dann muss ich noch einkaufen.
	• der Schluss (Sg.)	Zum Schluss müssen Sie die Fahrkarte stempeln.

B

B1	vorne		Da vorne ist eine Autovermietung.
	• der Laden, ¨		Ich will noch schnell in den Laden.
	ab·holen (hat abgeholt)		Tim soll Lili abholen.
	leise		Sei leise!
	• die Übung, -en		Tim soll Lili die Matheübung erklären.
	erklären (hat erklärt)		Erklär Lili die Matheübung!
B2	laut		Seid bitte nicht so laut!
	aus·machen (hat ausgemacht)		Macht doch die Handys aus!
	schließen		Schließt bitte die Bücher!
	öffnen		Öffnet bitte die Bücher!
	zu·hören (hat zugehört)		Hört doch bitte zu!
	• der Text, -e		Lest bitte den Text.
	auf·stehen (ist aufgestanden)		Steht bitte nicht auf!
	pünktlich		Kommt doch bitte pünktlich!
B3	warten (hat gewartet)		Warten Sie bitte im Wartebereich.
	• die Anmeldung, -en		Bringen Sie Ihren Ausweis zur Anmeldung mit.
	• die Gebühr, -en		Bezahlen Sie die Kursgebühren an der Kasse.
	• die Kasse, -n		Bezahlen Sie die Kursgebühren an der Kasse.
	ander-		Die anderen haben Unterricht.
	• der Unterricht (Sg.)		Die anderen haben Unterricht.
B4	lachen (hat gelacht)		Lachen Sie viel!

C

C1	beantragen (hat beantragt)		Tim muss einen internationalen Führerschein beantragen.
	dürfen, ich darf, du darfst, er darf		Lara darf in der EU Auto fahren.
C2	• die Zigarette, -n		Ihr müsst die Zigaretten aus- machen.
	rauchen (hat geraucht)		Hier darf man nicht rauchen.

	langsam		Du musst langsam fahren.
	• der Parkplatz, ¨-e		Wir müssen einen Parkplatz suchen.
	parken (hat geparkt)		Hier darf man nicht parken.
	Achtung		Achtung! Du musst das Handy ausmachen.
	warum		Warum muss ich das Handy ausmachen?
C3	erlaubt (sein)		Was ist erlaubt?
	verboten (sein)		Was ist verboten?
	mit·nehmen, du nimmst mit, er nimmt mit (hat mitgenommen)		Aber man darf sein Fahrrad mitnehmen.
	• das Eis (Sg.)		Man darf im Bus kein Eis essen.
	• das Gepäck (Sg.)		Man muss das Gepäck abgeben.
	ab·geben, du gibst ab, er gibt ab (hat abgegeben)		Man muss das Gepäck abgeben.
	benutzen (hat benutzt)		Man darf einen Laptop benutzen.

Auf dem Amt

- einen Führerschein beantragen
- einen Antrag aus·füllen
- den Ausweis mit·bringen
- den Pass mit·bringen
- einen Antrag ab·geben
- eine Gebühr bezahlen

TiPP

Lernen Sie Nomen und Verben zusammen.

einen Antrag abgeben

D

D1	• das Hotel, -s		In Salzburg gibt es viele Hotels.
	• die Minute, -n		Besichtigen Sie Salzburg in nur 100 Minuten.
	• der Rundgang, ¨-e		Auf dem Stadtrundgang lernen Sie die Sehenswürdigkeiten kennen.
	• die Sehenswürdigkeit, -en		Sie lernen die wichtigsten Sehenswürdigkeiten kennen.

	beginnen (hat begonnen)		Beginnen Sie den Rundgang an der Getreidegasse.
	• der Einkauf, ¨-e		Die Getreidegasse ist **die** Einkaufsstraße in Salzburg.
	berühmt		Hier ist der berühmte Komponist geboren.
	• der Einwohner, -		Salzburg hat fast 150.000 Einwohner.
	• der Stadtplan, ¨-e		Stadtpläne gibt es an der Tourist-Info.
	besuchen (hat besucht)		Besuchen Sie das Museum in Mozarts Geburtshaus.
	• die Geburt, -en		Besuchen Sie das Museum in Mozarts Geburtshaus.
	• die Ermäßigung, -en		Es gibt eine Ermäßigung für Gruppen.
	• die Senioren (Pl.)		Es gibt eine Ermäßigung für Senioren.
	• die Oper, -n		Das ganze Jahr finden hier Opernaufführungen statt.
	besichtigen (hat besichtigt)		Besichtigen Sie die Festspielhäuser bei einer Führung.
	• die Führung, -en		Besichtigen Sie die Festspielhäuser bei einer Führung.
	• der Dom, -e		Nun kommen Sie zum Dom.
	paar (ein paar)		Vom Dom sind es nur ein paar Schritte zum Residenzplatz.
	• der Schritt, -e		Vom Dom sind es nur ein paar Schritte zum Residenzplatz.
	• das Gebäude, -		Am Residenzplatz gibt es viele schöne Gebäude.
D2	• der Eintritt (Sg.)		Wie viel kostet der Eintritt für Erwachsene?
	• die Auskunft, ¨-e		Entschuldigung. Ich brauche eine Auskunft.

E

E1	• das Zentrum, Zentren		Das Hotel liegt im Zentrum.
	inklusive		Das Frühstück ist inklusive.
	kostenlos		Man kann das Internet kostenlos benutzen.
	• das Ergebnis, -se		Es gibt viele Suchergebnisse.

	• die Altstadt, ¨-e		Man braucht nur 30 Minuten zur Altstadt.
	• der See, -n		Man braucht nur 30 Minuten zum See.
	• das WC, -s		Im Zimmer gibt es eine Dusche und ein WC.
	• die Klimaanlage, -n		Das Hotelzimmer hat eine Klimaanlage.
	• das Frühstück (Sg.)		Das Frühstück ist extra.
	• die Lage, -n		Lage: Das Hotel liegt im Zentrum.
	zentral		Lage: zentral gelegen in der Altstadt
	• der Blick, -e		Wir möchten ein Zimmer mit Seeblick.
	• die Terrasse, -n		Das Hotel hat ein Restaurant mit Terrasse.
	historisch		Das Hotel hat ein historisches Flair.
	• das Schwimmbad, ¨-er		Das Hotel hat ein Schwimmbad.
	• die Haltestelle, -n		Die Bushaltestelle ist vor dem Hotel.
E2	buchen (hat gebucht)		Sie buchen ein Doppelzimmer.
	• das Doppelzimmer, -		Sie buchen ein Doppelzimmer.
	• das Einzelzimmer, -		Das Hotel hat Doppelzimmer und Einzelzimmer.
	• der Gast, ¨-e		Der Gast bucht das Zimmer.
	• der Wunsch, ¨-e		Haben Sie Wünsche an das Hotel?
	• der Nichtraucher, -		Er möchte ein Nichtraucherzimmer.
	• die Ankunft, ¨-e		Die Ankunft ist um 14:00 Uhr.
E3	• die Rezeption, -en		Füllen Sie das Formular an der Hotelrezeption aus.
	fertig (sein)		Das Zimmer ist leider noch nicht ganz fertig.
	wiederholen (hat wiederholt)		Können Sie das bitte wiederholen?
	• der Rahm (Sg.)		Das ist ein Kaffee mit Rahm, äh, mit Sahne.
	• die Vollpension (Sg.)		Möchten Sie Vollpension oder Halbpension?
	• die Halbpension (Sg.)		Möchten Sie Vollpension oder Halbpension?

	reservieren (hat reserviert)		Wir haben ein Doppelzimmer reserviert.
	• der Schlüssel, -		Hier ist Ihr Schlüssel.
	• der Lift, -e		Der Lift ist dort.

10 Gesundheit und Krankheit

FOTO-HÖRGESCHICHTE

1	• die Notaufnahme, -n		Lara und Ioanna sind in der Notaufnahme.
2	• das Auge, -n		Mein Auge tut weh!
	weh·tun (hat wehgetan)		Mein Auge tut weh!
	• der Unfall, ⸚e		Meine Freundin hatte einen Unfall.
	• der Doktor, -en		Der Doktor kommt gleich.
	• der Schmerz, -en		Wo haben Sie denn Schmerzen?
	sollen, ich soll, du sollst, er soll		Ich soll das Auge kühlen.
3	• das Mädchen, -		Die Mädchen gehen ins Krankenhaus.
	schlimm		Es ist nicht schlimm.
	geben, du gibst, er gibt (hat gegeben)		Der Arzt gibt Ionna Schmerztabletten.
	• die Tablette, -n		Der Arzt gibt Ioanna Schmerztabletten.
	beide		Die beiden Mädchen sind lustig und singen.
	lustig		Die beiden Mädchen sind lustig und singen.

A

A1	• das Bein, -e		Mein Bein tut weh.
	• das Haar, -e		Ioannas Haare sind braun.
	• das Ohr, -en		Meine Ohren tun weh.
	• der Arm, -e		Mein Arm tut weh.
	• der Bauch, ⸚e		Mein Bauch tut weh.
	• der Finger, -		Mein Finger tut weh.
	• der Fuß, ⸚e		Mein Fuß tut weh.
	• der Hals, ⸚e		Mein Hals tut weh.

	• der Kopf, ⸚e		Mein Kopf tut weh.
	• der Rücken, -		Mein Rücken tut weh.
	• die Brust, ⸚e		Meine Brust tut weh.
	• die Hand, ⸚e		Meine Hand tut weh.
	• die Nase, -n		Meine Nase tut weh.
	• der Mund, ⸚er		Mein Mund tut weh.
A2	sein, -e		Sein Kopf tut weh.
	ihr, -e		Ihr Bein tut weh.
A4	• der Zahn, ⸚e		Mein Monster heißt Hans. Seine Zähne ...

B

B1	krank		Carlos ist krank.
	informieren (hat informiert)		Ioanna informiert Lara: Sie haben morgen keinen Unterricht.
	unser-		Unsere Augen sind so blau!
	aus·fallen, du fällst aus, er fällt aus (ist ausgefallen)		Unser Unterricht fällt morgen aus.
	• das Lied, -er		Das ist jetzt unser Lied.
B2	• die Nachricht, -en		Lesen Sie die Nachrichten.
	ihr, -e		Julia und Jan sind beide krank. Ihre Ohren tun weh.
	• der Kuss, ⸚e		Küsse von Marie
	eu(e)r-		Ist eure Mutter wieder gesund?
	gesund		Ist sie wieder gesund?
	hoffentlich		Ist sie wieder gesund? Hoffentlich!
	• der / • die Bekannte, -n		Alle Freunde und Bekannten kommen!

C

C2	• die Medizin (Sg.)		Sie soll die Medizin nehmen.
	trainieren (hat trainiert)		Du sollst nicht trainieren.
C3	• der Husten (Sg.)		Die Tochter hat Husten.
	• die Salbe, -n		Sie soll Salbe verwenden.
	verwenden (hat verwendet)		Sie soll Salbe verwenden.
C4	• die Gesundheit (Sg.)		Geben Sie Gesundheitstipps.
	tun (hat getan)		Was kann man da tun?

	• das Fieber (Sg.)		Ich habe Fieber.
	• der Schnupfen (Sg.)		Meine Freundin hat Schnupfen.

D

D1	• der Wald, ⸚er		Ich gehe abends im Wald spazieren.
D2	dick		Sein Bauch ist zu dick.
	• die Leute (Pl.)		Sie möchte Leute kennenlernen.
	nichts		Sie möchte nichts bezahlen.
	auf·passen (hat aufgepasst)		Die Oma kann auf die Kinder aufpassen.
	• das Fitness-Studio, -s		Peter Hansen sucht ein Fitness-Studio.
	• der Kursleiter, - / • die Kursleiterin, -nen		Unser Kursleiter heißt Hintermeier.
	ruhig		Machen Sie sich ruhige Tage im Grünen.
	beobachten (hat beobachtet)		Beobachten Sie Tiere im Wald.
	• der Bauernhof, ⸚e		Auf unserem Bauernhof ist Platz für Sie und Ihre Freunde.
	• die Gruppe, -n		Unsere Gruppe ist für Menschen aus unserem Stadtteil.
	• der Mensch, -en		Unser Lauftreff ist für Menschen mit viel Stress.
	laufen, du läufst, er läuft (ist gelaufen)		Wir treffen uns und laufen oder machen Spaziergänge.
	• der Spaziergang, ⸚e		Wir treffen uns zweimal in der Woche zu Spaziergängen.
	gegen		Essen gegen Stress ist nicht gut.
	doppelt		Ich trinke einen doppelten Espresso.
	• das Müsli, -s		Viel Müsli, Obst und wenig Fleisch ...
D4	• der Inhalt, -e		Über den Inhalt weiß ich nichts.
	• der Absender, -		Der Absender schreibt den Brief.
	• der Ort, -e		Nennen Sie das Datum und den Ort.
	• der Empfänger, -		Der Empfänger bekommt den Brief.

	• die Anrede, -n	Die Anrede steht vor dem Brieftext.
	• das Datum (Sg.)	Das Datum steht im Brief oben.
	• der Zug, ¨-e	Kann man mit dem Zug zu Ihnen kommen?
D5	• der Kilometer, -	Wie viele Kilometer laufen Sie?

E

E1	• die (Arzt-)Praxis, (Arzt-)Praxen	Die Person ruft in einer (Arzt-)Praxis an.
	vereinbaren (hat vereinbart)	Ich möchte einen Termin vereinbaren.
	ändern (hat geändert)	Ich muss den Termin ändern.
	absagen (hat abgesagt)	Ich muss den Termin leider absagen.
E2	vorbei·kommen (ist vorbeigekommen)	Kann ich einfach vorbeikommen?
	• die Ordnung, -en: in Ordnung	In Ordnung. Dann bis Freitag!
E3	dringend	Kann ich früher kommen? Es ist dringend.

Körperteile

TIPP

Spielen Sie ein Memo-Spiel zum Thema *Gesundheit und Krankheit*. Schreiben Sie einen Satz auf zwei Karten. Mischen Sie und finden Sie Paare.

11 In der Stadt unterwegs

FOTO-HÖRGESCHICHTE

1	• die Werkstatt, ¨-en		Sie bringen das Auto zur Werkstatt.
	• die Apotheke, -n		Gibt es hier eine Apotheke?
	• die S-Bahn, -en		Sie fahren mit der S-Bahn.
	• die Autobahn, -en		Wo ist bitte die Autobahn?
	• die Tankstelle, -n		Ich suche die Tankstelle.
	• die Brücke, -n		Die Autobahn ist vor der Brücke links.
	• die Ampel, -n		Wir warten an der Ampel.
2	rechts		Fahren Sie nach rechts.
	geradeaus		Fahren Sie geradeaus.
	links		Fahren Sie nach links.
3	selbst		Warum macht Walter das nicht selbst?
	zu·machen (hat zugemacht)		Wann macht die Werkstatt zu?
4	• der Weg, -e		Das Navi zeigt den falschen Weg.
	schnell		Lara möchte einmal richtig schnell fahren.
	bedeuten (hat bedeutet)		Was bedeutet „Alles im grünen Bereich"?
	okay		Alles ist okay.

A

A2	• der Bahnhof, ¨-e		Entschuldigung, ich suche den Bahnhof.
	• die Metzgerei, -en		Ich suche die Metzgerei.
	• die Schule, -n		Lili geht in die Schule.
	• der Kindergarten, ¨		Früher ist Lili in den Kindergarten gegangen.
	• die Post (Sg.)		Wo ist hier die Post?
A3	• die Nähe (Sg.): in der Nähe		Ist hier ein Hotel in der Nähe?
	fremd		Tut mir leid, ich bin auch fremd hier.

B

B1	fliegen (ist geflogen)		Womit fliegen die Personen?
	• das Flugzeug, -e		Wir fliegen mit dem Flugzeug.
	• die Straßenbahn, -en		Sie fahren mit der Straßenbahn.
	• das Taxi, -s		Ich fahre mit dem Taxi zum Bahnhof.

	wohin		Wohin möchten die Personen?
	weit		Das Paar will zum Filmmuseum, aber zu Fuß ist das zu weit.
B2	• der Hauptbahnhof, ⸚e		Sie sind am Hauptbahnhof.
	• die Station, -en		Fahren Sie mit dem Bus bis zur Station „Schwimmbad“.

C

C2	• der Lkw, -s		Zwei Lkws stehen auf dem Parkplatz.
	stehen (hat gestanden)		Zwei Lkws stehen auf der Straße.
	• der Kiosk, -e		Ein Mann kauft am Kiosk eine Zeitung.
	• die Buchhandlung, -en		Ein Mann kauft ein Buch in der Buchhandlung.
	sitzen (hat gesessen)		Ein Paar sitzt im Café.
	• die Bücherei, -en		Die Bücherei ist über der Bäckerei.
	• die Bäckerei, -en		Die Bäckerei ist neben dem Café.
	• der Baum, ⸚e		Ein Baum steht zwischen der Post und der Bank.
	• die Bank, -en		Ein Baum steht zwischen der Post und der Bank.
	an		Die Kinder warten an der Bushaltestelle.
	auf		Zwei Lkws stehen auf dem Parkplatz.
	hinter		Ein Baum steht hinter den Häusern.
	über		Die Bücherei ist über der Bäckerei.
	unter		Die Bäckerei ist unter der Bücherei.
	zwischen		Ein Baum steht zwischen der Post und der Bank.
C3	neben		Der Parkplatz ist neben der Fußgängerzone.
	• die Fußgängerzone, -n		Der Parkplatz ist neben der Fußgängerzone.

D

D1	holen (hat geholt)		Wir gehen zu Walter und holen das Auto.
	• das Geschäft, -e		Geschäfte: Bäckerei, Metzgerei, Apotheke, ...

Lernwortschatz

D2	• die Konferenz, -en	....	Der Chef ist im Konferenzraum.
D3	• das Stadion, Stadien	....	Wir gehen ins Fußballstadion.
	• der Kunde, -n / • die Kundin, -nen	....	Paolo hat viele Kunden.
D5	kopieren (hat kopiert)	....	Wo kann ich kopieren?
	• die DVD, -s	....	Ich möchte eine DVD ausleihen.
	aus·leihen (hat ausgeliehen)	....	Wo kann ich Bücher ausleihen?
	(da) vorne	....	Der Copyshop ist gleich da vorne.
	(da) hinten	....	Es ist gleich da hinten.
	(da) drüben	....	Es ist gleich da drüben.
	• die Ecke, -n	....	Es ist da an der Ecke.
D6	unterwegs	....	Meine Person ist viel unterwegs.

E

E1	ab·fahren, du fährst ab, er fährt ab (ist abgefahren)	....	Der Zug fährt von Gleis 8 ab.
	• das Gleis, -e	....	Der Zug fährt von Gleis 8 ab.
	ein·steigen (ist eingestiegen)	....	Die Fahrgäste sollen einsteigen.
	• die Verspätung, -en	....	Der Zug hat Verspätung.
	an·kommen (ist angekommen)	....	Der Zug kommt zehn Minuten später an.
	um·steigen (ist umgestiegen)	....	Die Fahrgäste können in einen Zug nach Berlin umsteigen.
	aus·steigen (ist ausgestiegen)	....	Die Fahrgäste sollen aussteigen.
E2	direkt	....	Sie kann direkt fahren.
	• der Schalter, -	....	Sie kauft die Fahrkarte am Schalter.
	• der Bahnsteig, -e	....	Der Zug fährt gleich am Bahnsteig gegenüber.
	achten	....	Bitte achten Sie auf die Durchsagen.
	• die Durchsage, -n	....	Bitte achten Sie auf die Durchsagen.
	• der Anschluss, ¨-e	....	Sie haben Anschluss nach Ulm.
	hin und zurück	....	Einfach oder hin und zurück?
E3	• der Fahrplan, ¨-e	....	Der Fahrplan ist im Internet.

In der Stadt

- das Museum
- der Bahnhof
- die Straße
- die Post
- die Tankstelle

- der Fußballplatz
- die Metzgerei
- der Supermarkt
- das Kino
- das Hotel
- die Ampel
- der Kindergarten
- der Platz

TiPP
Lernen Sie Verben und Nomen zusammen: abfahren – die Abfahrt

12 Kundenservice

FOTO-HÖRGESCHICHTE

1	die Tasche, -n	....	Laras Tasche ist neu.
	die Tüte, -n	....	Der Verkäufer gibt Lara eine Plastiktüte.
	die Rechnung, -en	....	Lara hat noch die Rechnung.
	der Verkäufer, - / die Verkäuferin, -nen	....	Der Verkäufer ist nett.
	kaputt	....	Laras Tasche ist kaputt.
2	reparieren (hat repariert)	....	Der Verkäufer repariert die Tasche.
4	sauer	....	Lara ist sauer.
	unfreundlich	....	Der Verkäufer ist unfreundlich.
	normal	....	Der Service ist normal.

A

A3	die Kleider (Pl.)	....	Vor dem Frühstück sortiert sie Taschen und Kleider.
	die Reparatur, -en	....	Vor der Mittagspause macht sie Reparaturen.
	nähen (hat genäht)	....	Vor der Mittagspause näht Frau Müller.

	• das Mittagessen, -		Beim Mittagessen liest sie ein bisschen.
	verkaufen (hat verkauft)		Nach der Mittagspause verkauft sie viele Taschen und Kleider.

B

B2	• die Kamera, -s		Meine Kamera funktioniert nicht.
B3	• das Modell, -e		Was für ein Modell ist es?
	• die Garantie, -n		Ich habe noch 6 Monate Garantie.
	vorbei-: vorbeibringen		Dann bringen Sie das Gerät bitte vorbei.

C

C1	zurück-: zurückgeben		Würden Sie mir dann bitte mein Geld zurückgeben?
C2	an·machen (hat angemacht)		Könnten Sie bitte den Computer anmachen?
	• die Tür, -en		Könnten Sie bitte die Tür kurz mal zumachen?
	zu·machen (hat zugemacht)		Könnten Sie bitte die Tür kurz mal zumachen?
	• das Fenster, -		Könnten Sie bitte das Fenster aufmachen?
	auf·machen (hat aufgemacht)		Könnten Sie bitte das Fenster aufmachen?
	• das Papier (Sg.)		Könnten Sie bitte Papier für den Drucker kaufen?
	• der Drucker, -		Könnten Sie bitte Papier für den Drucker kaufen?
	• das Licht (Sg.)		Könnten Sie bitte das Licht aus-machen?
C3	• die Bitte, -n		Formulieren Sie höfliche Bitten.
	empfehlen, du empfiehlst, er empfiehlt (hat empfohlen)		Würden Sie Hustensaft oder Tabletten empfehlen?

D

D1	• das Institut, -e		Frau Nutall arbeitet am Institut für Analytische Chemie.
	• der Flug, ¨-e		Unser Flug hat leider Verspätung.
	Bescheid sagen/geben		Sag bitte den Zimmermädchen Bescheid.

	gründlich		Sie sollen gründlich suchen.
	• die (Bank-)Überweisung, -en		Er bezahlt per Überweisung.
D2	• die Mailbox, -en		Frau Wegner spricht auf die Mailbox.
	• der Fehler, -		Frau Wegner spricht auf die Mailbox und macht Fehler.
D3	zurück·rufen (hat zurückgerufen)		Bitte rufen Sie zurück unter ...

E

E1	• die Hilfe, -n		Hilfe im Alltag
	• das Ausland (Sg.)		Herr Berger fliegt oft ins Ausland.
	• der Flughafen, ⸚		Er fährt mit dem Auto zum Flughafen.
	sparen (hat gespart)		Er möchte Geld sparen.
	• die (Kaffee-) Maschine, -n		Die Espressomaschine von Lena und Bert funktioniert nicht mehr.
	• das Zeugnis, -se		Eine Freundin braucht für die Universität Zeugnisse und Dokumente auf Deutsch.
	• das Dokument, -e		Eine Freundin braucht für die Universität Zeugnisse und Dokumente auf Deutsch.
	reinigen (hat gereinigt)		Wir reinigen zu Ihrem Wunschtermin.
	• die Reinigung, -en		Wählen Sie aus unserem Angebot, z. B. Fensterreinigung.
	putzen (hat geputzt)		Wir putzen alles aus Glas, auch Dachfenster und Wintergärten.
	• das Dach, ⸚er		Wir putzen auch Dachfenster.
	• der Mitarbeiter, - / • die Mitarbeiterin, -nen		Wir haben auf der ganzen Welt Mitarbeiter.
	• die Übersetzung, -en		Unser Büro bietet Übersetzungen in vielen Sprachen an.
	bestellen (hat bestellt)		Jetzt online eine Pizza bestellen!
	• die Nudel, -n		Jedes Nudelgericht nur 5 Euro.
	• das Gericht, -e (Essen)		Jedes (Nudel-)Gericht nur 5 Euro.

	günstig		Günstig parken am Flughafen.
	genießen (hat genossen)		Genießen Sie unseren stressfreien Transfer.
	• das Terminal, -s		Genießen Sie unseren stressfreien Transfer zu Ihrem Terminal.
	• die Freude (Sg.)		Wir reparieren Ihr Elektrogerät mit Freude!
	• das Ersatzteil, -e		Ersatzteile haben wir auf Lager.
	• das Lager, -		Ersatzteile haben wir auf Lager.
	• die Beratung, -en		Telefonische Beratung unter ...
E3	• der Snack, -s		Wir bieten Snacks in der Mittagspause an.
	• die Laune (Sg.)		Bringt gute Laune mit!

TIPP
Notieren Sie Gegensätze.

aufmachen – zumachen

13 Neue Kleider

FOTO-HÖRGESCHICHTE

1	• die Jacke, -n		Sie kaufen eine Jacke für Lara.
2	• der Mantel, ¨		Ist der Mantel nicht toll?
	dünn		Ist die Jacke nicht zu dünn?
	passen (hat gepasst)		Die Farbe passt gar nicht zu dir.
3	allein		Zum Schluss kauft Lara allein einen Mantel.

A

A1	• die Kleidung (Sg.)		Laras Kleidung: der Mantel, die Jacke, ...
	• die Bluse, -n		Wie findest du die Bluse?
	• das T-Shirt, -s		Wie findest du das T-Shirt?
	• der Schuh, -e		Die Schuhe sind nicht so schön.
	• die Hose, -n		Die Hose ist super!
	• der Rock, ¨-e		Sieh mal, der Rock da!
	• das Kleid, -er		Das Kleid ist sehr schön!
	• der Stiefel, -		Die Stiefel finde ich auch toll.
	• der Pullover, -		Der Pullover ist zu weit.

	• die Socke, -n	Und die Socken?
	• der Strumpf, ¨-e	Die Strümpfe finde ich hässlich.
	• / • die Jeans (Sg. oder Pl.)	Die Jeans finde ich sehr schön.
	• das Tuch, ¨-er	Sieh mal, das Tuch da!
A2	• das Hemd, -en	Das Hemd hier ist auch super!
	• der Anzug, ¨-e	Und der Anzug hier!
	• die (Sonnen-) Brille, -n	Die (Sonnen-)Brille ist nicht schlecht.
	langweilig	Die Schuhe sind langweilig und auch zu teuer!
	• der (Regen-) Schirm, -e	Wie findest du den Schirm?

B

B1	perfekt	Toll, die Jacke passt dir perfekt!
B2	stehen (hat gestanden)	Die Brille steht ihr richtig gut.
B4	• die Bratwurst, ¨-e	Also, Bratwurst schmeckt mir nicht.
	• die Landschaft, -en	Mir gefällt die Landschaft.
	• der Berg, -e	Die Berge gefallen mir.
	• das Dorf, ¨-er	Das Dorf gefällt mir nicht.
	• die Nordsee (Sg.)	Mir gefällt die Nordsee.
	• der Strand, ¨-e	Mir gefällt der Strand.
	• das Meer, -e	Mir gefallen das Meer und der Hafen.
	• der Hafen, ¨	Mir gefallen der Hafen und das Meer.

C

C1	besser	Und hier, die Jacke ist noch besser.
	am besten	Aber mein Mantel, der steht mir am besten!
C2	• der Steward, -s / • die Stewardess, -en	Ich bin Stewardess von Beruf.
	• die Uniform, -en	Zu meiner Uniform gehören zwei Röcke und eine Hose.
	gehören (hat gehört)	Zu meiner Uniform gehören zwei Röcke und eine Hose.
	an·ziehen (sich) (hat angezogen)	Das Kleid ziehe ich nicht so gern an.

	am liebsten	....	Am liebsten trage ich die Hose.
	tragen, du trägst, er trägt (hat getragen)	....	Am liebsten trage ich die Hose.
	wunderschön	....	Die Kleidung ist wunderschön.
	• das Jogging (Sg.)	....	Zu Hause trage ich am liebsten meine Jogginghose.
	mehr	....	Ich lese viel und telefoniere noch mehr.
	am meisten	....	Am meisten schaue ich aber fern.

D

D1	• der Witz, -e	....	Soll das ein Witz sein?
	total	....	Die ist ja total langweilig.
	dies-	....	Welche Jacke meinst du? – Na, diese.
D2	• der Koffer, -	....	Welcher Koffer gehört Mario?
D3	• der Wochentag, -e	....	Welchen Wochentag magst du am liebsten?
	mögen, ich mag, du magst, er mag (hat gemocht)	....	Welches Buch magst du am liebsten?

E

E1	• das Erdgeschoss, -e	....	Die Drogerie finden Sie im Erdgeschoss.
	• das Obergeschoss, -e	....	Da müssen Sie ins Obergeschoss gehen.
	• das Untergeschoss, -e	....	Die Lampen sind im Untergeschoss.
	• der Ausgang, ⸚e	....	Der Ausgang ist im Untergeschoss.
	• der Eingang, ⸚e	....	Der Eingang ist im Obergeschoss.
	• die Drogerie, -n	....	Die Drogerie ist im Erdgeschoss.
	• die Kosmetik (Sg.)	....	Kosmetik finden Sie im Erdgeschoss.
	• die Uhr, -en	....	Uhren und Schmuck gibt es im Erdgeschoss.
	• der Schmuck (Sg.)	....	Schmuck finden Sie im Erdgeschoss.
	• die Zeitschrift, -en	....	Zeitschriften gibt es bei den Büchern.
	• das Geschirr (Sg.)	....	Glas und Geschirr gibt es im Untergeschoss.
	• die Ware, -n	....	Bettwaren gibt es im Untergeschoss.
	• das Spiel, -e	....	Ich suche ein Spiel für meine Tochter.

- die Seife, -n — Ich muss auch noch Seife kaufen.
- die Zahnbürste, -n — Ich muss auch noch eine Zahnbürste kaufen.
- die Zahnpasta (Sg.) — Ich muss Zahnpasta kaufen.

E2 • die Größe, -n — Haben Sie die Hose auch in Größe 52?

E3 an·probieren (hat anprobiert)  — Sie haben eine Jacke anprobiert.

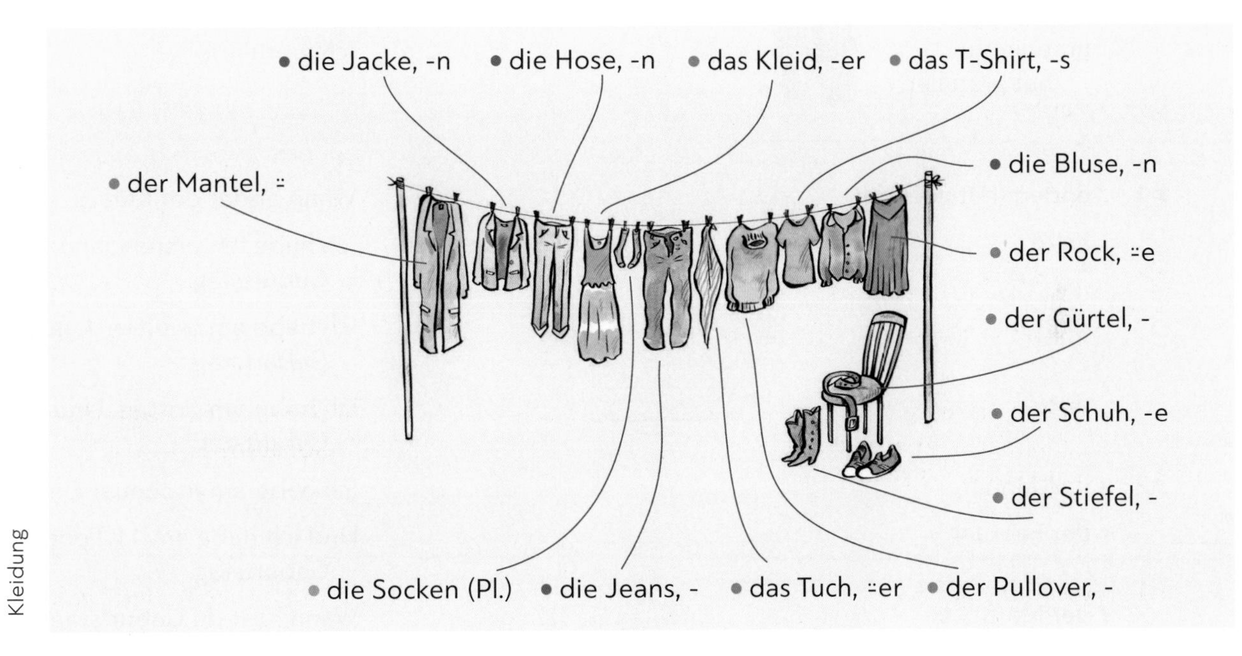

TIPP
Schneiden Sie Bilder aus und ergänzen Sie die Wörter.

der Hut
das T-Shirt
die Jeans
die Schuhe

14 Feste

FOTO-HÖRGESCHICHTE

1
- das Ende, -n — Ende gut, alles gut.
- der Geburtstag, -e — Wer hat Geburtstag?
- schenken (hat geschenkt) — Wer schenkt die Hausschuhe?
- traurig — Warum sehen alle traurig aus?

Lernwortschatz

	erzählen (hat erzählt)	....	Was erzählt Tim?
2	feiern (hat gefeiert)	....	Die Freunde feiern nicht nur Geburtstag.
	• der Abschied, -e	....	Sie feiern auch Abschied.
3	(sich) wünschen (hat gewünscht)	....	Ich wünsche dir viel Glück und Freude!
	• das Glück (Sg.)	....	Ich wünsche dir viel Glück und Freude!
	• der Glückwunsch, -e	....	Herzlichen Glückwunsch!
	gratulieren (hat gratuliert)	....	Ich gratuliere!

A

A1	enden (hat geendet)	....	Wann endet der Kurs?
	erste	....	Ich habe am ersten Januar Geburtstag.
	zweite	....	Ich habe am zweiten Januar Geburtstag.
	dritte	....	Ich habe am dritten Januar Geburtstag.
A2	• der Januar	....	Ich habe am 4. Januar Geburtstag.
	• der Februar	....	Und ich habe am 11. Februar Geburtstag.
	• der März	....	Wann hast du Geburtstag? – Am 13. März. Und du?
	• der April	....	Ich bin am 29. April geboren.
	• der Mai	....	Ich habe am 5. Mai Geburtstag.
	• der Juni	....	Ich habe am 16. Juni Geburtstag.
	• der Juli	....	Ich bin am 20. Juli geboren.
	• der August	....	Ich habe im August Geburtstag.
	• der September	....	Ich bin im September geboren.
	• der Oktober	....	Ich habe im Oktober Geburtstag.
	• der November	....	Im November fährt Lara nach Hause.
	• der Dezember	....	Ich bin am 6. Dezember geboren.

Monate

- • der Januar
- • der Februar
- • der März
- • der April
- • der Mai
- • der Juni

Januar Februar März	Juli August September
April Mai Juni	Oktober November Dezember

- • der Juli
- • der August
- • der September
- • der Oktober
- • der November
- • der Dezember

A3	• die Blume, -n		Am 14. Februar soll man Blumen kaufen.
	• der Karneval (Sg.)		Der Karneval dauert bis zum 12. Februar.
	• die Veranstaltung, -en		Hier finden Sie alle Infos und Veranstaltungen.
	• die Jahreszeit, -en		Es gibt vier Jahreszeiten.
	• die Umfrage, -n		Wir machen eine Umfrage.
	mit·machen (hat mitgemacht)		Machen Sie mit und schreiben Sie.
	• der Feiertag, -e		Was machen Sie an diesem Feiertag?
A4	• die (Gruß-)Karte, -n		Ich schreibe (Gruß-)Karten an meine Freunde.

B

B1	lieb		Ich habe dich sehr lieb, Opa.
	lieb haben (hat lieb gehabt)		Ich habe dich sehr lieb, Opa.
B2	• das Geschenk, -e		Wir brauchen noch ein Geschenk für Andrej.
	(sich) lieben (hat geliebt)		Ich liebe dich.
B3	• der Nachtisch, -e		Wir müssen noch den Nachtisch machen.
B4	• der Laptop, -s		Mein Laptop ist kaputt.
	schmutzig		Meine Bluse ist schmutzig.
	waschen, du wäschst, er wäscht (hat gewaschen)		Kannst du sie bitte waschen?

C

C1	denn		Sie feiern Abschied, denn Lara und Tim fahren nach Hause.
C2	• die Feier, -n		Lara und Tim organisieren eine Abschiedsfeier.
	organisieren (hat organisiert)		Lara und Tim organisieren eine Abschiedsfeier.
	Bescheid geben		Bitte gib Bescheid bis 25.11.
	• die Einladung, -en		Vielen Dank für die Einladung.

D

D1	werden, du wirst, er wird (ist geworden)		Am Donnerstag werde ich 30.
	ein·laden, du lädst ein, er lädt ein (hat eingeladen)		Ich lade Dich zu meiner Party ein.
	sich freuen (hat sich gefreut)		Ich würde mich freuen.
	• der Nachbar, -n		Ich lade meine Freunde und Nachbarn ein.
	eröffnen (hat eröffnet)		Wir eröffnen die Grillsaison.
	• die Saison, -s		Wir eröffnen die Grillsaison.
	• der Grill, -s		Wir laden Euch zum Grillfest ein.
	herzlich		Wir laden Euch herzlich zu unserem Grillfest ein.
	• das Fest, -e		Das Grillfest ist am Samstag.
	sorgen (hat gesorgt)		Für Getränke sorgen wir.
	• das Weihnachten (Sg.)		Auch dieses Jahr möchten wir mit Ihnen Weihnachten feiern.
	an·melden (sich) (hat angemeldet)		Bitte melden Sie sich bis 1.12 an.
D2	bitten (hat gebeten)		Bitten Sie um Antwort.
	• die Unterschrift, -en		Unter dem Brief steht die Unterschrift.

E

E1	• das Ostern (Sg.)		An Ostern gibt es Ostereier.
	• das Silvester (Sg.)		An Silvester gibt es ein Feuerwerk.
	• das Neujahr (Sg.)		An Neujahr wünschen wir uns Glück.
E2	bunt		Wir essen bunte Ostereier.
	verstecken (sich) (hat versteckt)		Sie verstecken Ostereier.
	• der Braten, -		Bei Bens Eltern gibt es Lammbraten.
	heilig		Am 24.12. ist der Heilige Abend.
	an·zünden (hat angezündet)		Ich zünde die Kerzen an.
	• die Kerze, -n		Ich zünde die Kerzen an.

zurück·kommen (ist zurückgekommen)	....	Dann kommen die anderen zurück.
aus·packen (hat ausgepackt)	....	Wir packen die Geschenke aus.
• der Bart, ¨-e	....	Der Bart vom Nikolaus ist weiß.
• der Sack, ¨-e	....	Der Nikolaus hat einen Sack und ein Buch.
vor·lesen, du liest vor, er liest vor (hat vorgelesen)	....	Der Nikolaus liest aus seinem Buch vor.
vorher	....	Bei mir zu Hause kommt der Nikolaus schon vorher.
stellen (hat gestellt)	....	Ich stelle abends meine Schuhe vor die Haustür.
E3 • die Hochzeit, -en	....	Wir gratulieren zur Hochzeit.

• die Hochzeit, -en

• das Ostern (Sg.)

• das Silvester/Neujahr (Sg.)

• der Geburtstag, -e

• das Weihnachten (Sg.)

• der Karneval (Sg.)

Feste

TIPP

Suchen Sie Wörter mit gleicher oder ähnlicher Bedeutung.

die Feier – das Fest

Artikelwörter und Pronomen

Possessivartikel Lektion 10

	Nominativ				Akkusativ
	Singular			Plural	Singular maskulin ⚠
ich	• mein Kopf	• mein Bein	• meine Nase	• meine Ohren	• meinen Kopf
du	dein	dein	deine	deine	deinen
er/es	sein	sein	seine	seine	seinen
sie	ihr	ihr	ihre	ihre	ihren
wir	unser	unser	unsere	unsere	unseren
ihr	euer	euer	⚠ eure	⚠ eure	⚠ euren
sie	ihr	ihr	ihre	ihre	ihren
Sie	Ihr	Ihr	Ihre	Ihre	Ihren

ÜG 2.04

Pronomen: *man* Lektion 9

Zuerst muss man das Ziel wählen.
= Zuerst müssen alle das Ziel wählen.

ÜG 3.01

Personalpronomen Lektion 13, 14

Nominativ	Dativ	Akkusativ
ich	mir	mich
du	dir	dich
er/es	ihm	ihn/es
sie	ihr	sie
wir	uns	uns
ihr	euch	euch
sie/Sie	ihnen/Ihnen	sie/Sie

ÜG 3.01

für mich/dich ...

Demonstrativpronomen: *der, das, die* Lektion 13

	Nominativ		Akkusativ	
• der Gürtel	Der	ist schön.	Den	finde ich super.
• das Hemd	Das	ist schön.	Das	finde ich super.
• die Jacke	Die	ist schön.	Die	finde ich super.
• die Schuhe	Die	sind schön.	Die	finde ich super.

ÜG 3.04

Frageartikel: *welcher?* – Demonstrativpronomen: *dieser* Lektion 13

Nominativ		Akkusativ	
• Welcher Mantel ...?	Dieser.	• Welchen Mantel ...?	Diesen.
• Welches Hemd ...?	Dieses.	• Welches Hemd ...?	Dieses.
• Welche Jacke ...?	Diese.	• Welche Jacke ...?	Diese.
• Welche Schuhe ...?	Diese.	• Welche Schuhe ...?	Diese..

ÜG 3.04

Adjektive

Komparation: *gut, gern, viel* Lektion 13

Positiv ☺	Komparativ ☺☺	Superlativ ☺☺☺
gut	besser	am besten
gern	lieber	am liebsten
viel	mehr	am meisten

ÜG 4.04

Verben

Konjugation Lektion 9, 13, 14

	helfen	mögen	werden
ich	helfe	**mag**	werde
du	hilfst	magst	wirst
er/es/sie	hilft	**mag**	wird
wir	helfen	mögen	werden
ihr	helft	mögt	werdet
sie/Sie	helfen	mögen	werden

ÜG 5.01, 5.16

Präteritum: *sein* und *haben* Lektion 8

	sein		haben	
	Präsens	Präteritum	Präsens	Präteritum
ich	bin	war	habe	hatte
du	bist	warst	hast	hattest
er/es/sie	ist	war	hat	hatte
wir	sind	waren	haben	hatten
ihr	seid	wart	habt	hattet
sie/Sie	sind	waren	haben	hatten

ÜG 5.06

Modalverben: *müssen, dürfen* und *sollen* Lektion 9, 10

	müssen	dürfen	sollen
ich	muss	darf	soll
du	musst	darfst	sollst
er/es/sie	muss	darf	soll
wir	müssen	dürfen	sollen
ihr	müsst	dürft	sollt
sie/Sie	müssen	dürfen	sollen

ÜG 5.11, 5.12

Imperativ Lektion 9

		⚠	⚠
(du)	Komm mit! Sieh mal!	Fahr langsam!	Sei leise!
(ihr)	Hört zu!		Seid leise!
(Sie)	Warten Sie bitte!		Seien Sie leise!

ÜG 5.19

Höfliche Aufforderung: Konjunktiv II Lektion 12

	Position 2		Ende
Könnten	Sie	mir bitte	helfen?
Würden	Sie	mir bitte das Geld	zurückgeben?
Könntest	du	mir bitte	helfen?
Würdest	du	mir bitte das Geld	zurückgeben?

ÜG 5.17

Verben mit Dativ Lektion 13

Der Mantel	gefällt	mir.
Das Hemd	steht	dir.

auch so: *gehören, passen schmecken*

ÜG 5.21

Präpositionen

Temporale Präposition: *für* + Akkusativ Lektion 8

	Singular			Plural	
Für wie lange?					
Ich suche für	• einen Monat	• ein Jahr	• eine Woche	• zwei Wochen	einen Job.

ÜG 6.01

Temporale Präpositionen: *vor, seit* + Dativ Lektion 8

	Singular			Plural	
Wann?					
Ich habe vor	• einem Monat	• einem Jahr	• einer Woche	• zwei Monaten	die Ausbildung gemacht.
Seit wann? / Wie lange?					
Ich bin seit	• einem Monat	• einem Jahr	• einer Woche	• zwei Jahren	selbstständig.

ÜG 6.01

Temporale Präpositionen: *bis, ab* Lektion 12

Wie lange ...?	Bis morgen / Montag / siebzehn Uhr / nächste Woche.
Ab wann ...?	Ab morgen / Montag / siebzehn Uhr.

ÜG 6.01

Temporale Präpositionen: *vor, nach, bei, in* + Dativ Lektion 12

				Plural
Wann?				
vor	• dem Kurs	• dem Training	• der Arbeit	• den Hausaufgaben
nach	• dem Kurs	• dem Training	• der Arbeit	• den Hausaufgaben
bei	⚠ • beim Kurs	⚠ • beim Training	• der Arbeit	• den Hausaufgaben
in	• einem Monat	• einem Jahr	• einer Woche	• drei Jahren

ÜG 6.01

Lokale Präposition: *bei*, modale Präposition: *als* Lektion 8

Wo arbeiten Sie?	Ich arbeite	als Hausmeister.
		bei TerraMax.

ÜG 6.03

Modale Präposition: *mit* + Dativ Lektion 11

				Plural
	• der → dem	• das → dem	• die → der	• die → den
mit	• dem Zug	• dem Auto	• der U-Bahn	• den Kindern

ÜG 6.04

Lokale Präpositionen auf die Frage „Wo?" + Dativ Lektion 11

				Plural
neben	• dem Kiosk	• dem Hotel	• der Post	• den Häusern

auch so: *an, auf, bei, hinter, in, neben, über, unter, zwischen, vor*

Wo ist Sofia? ◎	
Person:	• beim Arzt | • bei der Freundin | bei Walter
„Haus"/Ort/Geschäft:	• im Kindergarten | • im Bett | • in der Apotheke
Land/Stadt:	in Österreich/Wien | • im Jemen | • in der Schweiz | • in den USA/Niederlanden
⚠	an + dem = am bei + dem = beim in + dem = im
⚠	zu Hause

ÜG 6.02, 6.03

Lokale Präpositionen auf die Frage „Wohin?" Lektion 11

Wohin ist Paulo gefahren? ⊝	
Person:	• zum Zahnarzt | • zur Freundin | zu Walter
Geschäft:	• zum Supermarkt | • zur Apotheke
„Haus"/Ort:	• in den Kindergarten | • ins Kino
⚠	zu + dem = zum zu + der = zur
Land/Stadt:	nach Österreich/Basel • in den Jemen | • in die Schweiz | • in die USA/Niederlande
⚠	nach Hause

ÜG 6.02, 6.03

Zahlwörter

Ordinalzahlen: Datum Lektion 14

1.–19. → -te				ab 20. → -ste	
1.	der erste	5.	der fünfte	20.	der zwanzigste
2.	der zweite	6.	der sechste	21.	der einundzwanzigste
3.	der dritte	7.	der siebte	...	
4.	der vierte	...			

Wann?
Am zweiten Mai.
Vom zweiten bis (zum) zwanzigsten Mai.

ÜG 8.01

Sätze

Modalverben im Satz Lektion 9, 10

	Position 2		Ende
Er	muss	einen Antrag	ausfüllen.
Sie	dürfen	in der EU Auto	fahren.
Sie	sollen	zu Hause	bleiben.

ÜG 10.02

Konjunktion: *denn* Lektion 14

Sie feiern Abschied. Lara und Tim fahren nach Hause.

Sie feiern Abschied, denn Lara und Tim fahren nach Hause.

ÜG 10.04

Wortbildung

Nomen: Wortbildung Lektion 8

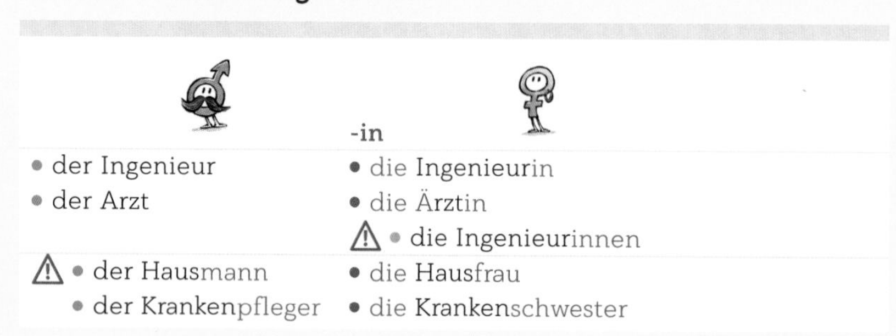

♂	-in ♀
• der Ingenieur	• die Ingenieurin
• der Arzt	• die Ärztin
	⚠ • die Ingenieurinnen
⚠ • der Hausmann	• die Hausfrau
• der Krankenpfleger	• die Krankenschwester

ÜG 11.01

Lösungen zu den Tests

Lektion 8

1 **a** Arzthelferin **b** studiert, Job, Köchin **c** selbstständig, Praxis **d** arbeitslos, Stelle, Bewerbungen
2 **b** hatte **c** war **d** war **e** Waren **f** hatten **g** wart **h** waren
3 **a** Vor **c** seit **d** / **e** für **f** Seit
4 **a** Ich habe Ihre Anzeige gelesen **b** Ist die Stelle noch frei **c** wir suchen eine Verkäuferin **d** Und wie ist die Arbeitszeit **e** vier Stunden am Vormittag **g** Wir zahlen 450 Euro

Lektion 9

1 **a** Schlüssel, Gast, Plan **b** Frühstück, Einzelzimmer **c** Kreditkarte, Ankunft
2 **b** rauchen **c** abgeben **d** parken
3 **a** müsst **b** Darf, darfst **c** musst, muss
4 **b** Hört bitte Frau Müller zu. **c** Sei bitte pünktlich. **e** Zeigen Sie bitte den Pass.
5 **b** Möchten Sie Vollpension oder Halbpension **c** Ich brauche Ihren Ausweis **d** Wann muss ich am Sonntag auschecken **e** Hier ist Ihr Schlüssel

Lektion 10

1 **b** die Tablette **c** die Schritte **d** wehtun **e** der Kursleiter **f** der Kuss
2 **b** meine **c** Unsere **d** unseren **e** Unsere **f** Seine **g** ihren **h** euer
3 **b** Ich soll eine Salbe kaufen. **c** Wir sollen Sport machen. **d** Ida soll viel Tee trinken. **e** Du sollst dein Bein kühlen. **f** Flavia und Sofie sollen im Bett bleiben.
4 **von oben nach unten:** 3, 4, 7, 5, 2, 6

Lektion 11

1 **b** Haltestelle **c** U-Bahn **d** Ampel **e** Autobahn
2 **b** geradeaus **c** rechts **d** links
3 **a** dem **b** zur **d** dem **e** der **f** nach **g** zum **h** Zu **i** ins **j** die
4 **b** auf dem **c** unter dem **d** in der **e** zwischen den **f** vor der
5 **b** Fahren Sie mit der S-Bahn bis zum Barbaraplatz. **c** An der Ecke, neben der Apotheke. **d** Nein, das ist viel zu weit. **e** Da gehen Sie zur Bücherei.

Lektion 12

1 **a** empfehlen, Drucker **b** kaputt, reparieren, günstig **c** putzen, Lager
2 **a** nach dem, in **b** vor der, Ab, Bis, beim
3 **b** Würdest du bitte das Licht ausmachen? **c** Könntest du mir bitte helfen? **d** Würden Sie bitte heute noch einen Techniker schicken?
4 **a** 4 **b** 1 **c** 3 **e** 2

Lektion 13

1 **a** Jacke, Schuhe, Anzug, Mantel **b** Berg, Wald, Dorf, Meer, Strand
2 **a** Welcher, Der, Den **b** Welche, diese **c** Das, das, dieses **d** Welche, Diese, Die
3 **a** Mir **b** uns, euch **c** ihr
4 **a** am liebsten **b** besser, am besten **c** mehr, am meisten
5 **b** 5 **c** 2 **d** 1 **e** 3

Lektion 14

1 **a** August **b** Blumen **d** Geschenk **e** Einladung **f** feiern **g** Glückwunsch
2 **b** ersten, siebten **c** dritten **d** elfte
3 **a** es **b** euch, sie **c** ihn, dich
4 **b** Bob feiert seinen Geburtstag nicht, denn er findet Geburtstage nicht wichtig. **c** Henry fährt am Montag nach Mainz, denn es ist Karneval. **d** Mandy organisiert eine Party, denn sie hat eine neue Wohnung.
5 Ich habe am Mittwoch Geburtstag und werde 43 Jahre alt! Das möchte ich gern zusammen mit Euch feiern. Ich lade Euch zu Kaffee und Kuchen ein: am 13. Januar um 15 Uhr im Café Mozart. Kannst Du kommen? Ich würde mich freuen.
Viele Grüße Anastasia

Quellenverzeichnis

Kursbuch

Cover: © Hueber Verlag/Bernhard Haselbeck U2: © Digital Wisdom Seite III: Klappe © Thinkstock/iStock/popcic S. 95: Klappe © Thinkstock/iStock/popcic S. 96: A2: A © Thinkstock/iStock/monkeybusinessimages; B © Thinkstock/iStock/monkeybusinessimages; C © PantherMedia/Christian Fickinger; D © PantherMedia/Christian Fickinger; E © PantherMedia/Christian Fickinger S. 98: Antonio © Thinkstock/Digital Vision; Frida © Thinkstock/iStock/Daniel Ernst; Kurs © fotolia/Robert Kneschke; Pictos © Thinkstock/iStock/Azaze11o S. 99: C2 © Thinkstock/Digital Vision/Jochen Sand S. 100: D1: Mika © Thinkstock/Fuse; Arora © Thinkstock/Purestock; Brenda © Thinkstock/Creatas/Jupiterimages S. 101: © Thinkstock/Fuse S. 103: Klappe © Thinkstock/iStock/popcic S. 104: Klappe © Thinkstock/iStock/popcic ; Pablo © Thinkstock/Fuse; Kim © iStockphoto/arekmalang S. 105: Still © Zorro Film GmbH S. 106: Führerschein © Bundesdruckerei GmbH; Klappe © Thinkstock/iStock/popcic S. 107: Klappe © Thinkstock/iStock/popcic S. 108: Pass © Thinkstock/Zoonar S. 109: B3 © Thinkstock/iStock/Frank Merfort S. 111: Getreidegasse © iStockphoto/donstock ; Hohensalzburg © Thinkstock/iStock/RudyBalasko S. 112: Schneeflocke © Thinkstock/iStock/Rattikankeawpun; Betten von oben nach unten © Thinkstock/Hemera/Péter Gudella; © Thinkstock/Hemera/Dmitrijs Mihejevs; © Thinkstock/iStock/Vlajs; Daumen hoch © Thinkstock/iStock/Wonderfulpixel S. 113: © Thinkstock/iStock/Photodjo S. 115: Hotel © Thinkstock/iStock/Photodjo; Klappe © Thinkstock/iStock/popcic S. 116: © Thinkstock/iStock/repistu S. 117: A © iStockphoto/Joel Carillet; B © Thinkstock/DigitalVision; Daumen © Thinkstock/iStock/Wonderfulpixel S. 118: Klappe © Thinkstock/iStock/popcic S. 119: Klappe © Thinkstock/iStock/popcic S. 120: A2: A © fotolia/Photographee.eu; B © Thinkstock/iStock/Martinan; C © Thinkstock/iStock/Antonio_Diaz S. 122: C3 ©iStockphoto/Sean Locke S. 123: 1 © iStockphoto/SolStock ; 2 © Thinkstock/Stockbyte/altrendo images; 3 © Thinkstock/iStock/pradono kusumo; 4 © Thinkstock/iStock/CandyBoxImages S. 125: E2: Mann © Thinkstock/Wavebreak Media; Frau © Thinkstock/iStock/NuStock S. 127: Klappe © Thinkstock/iStock/popcic S. 128: © PantherMedia/Jürgen Frese S. 129: © Hueber Verlag/Mingamedia Entertainment GmbH; Klappe © Thinkstock/iStock/popcic S. 131: Klappe © Thinkstock/iStock/popcic S. 135: D2 © Thinkstock/iStock/shironosov S. 136: D6: A © Thinkstock/DigitalVision/Michael Blann; B © imago/Thomas Frey; C © Thinkstock/Purestock; D © Thinkstock/Wavebreakmedia Ltd S. 137: E2 © dpa Picture-Alliance/Arno Burgi S. 139: Klappe © Thinkstock/iStock/popcic S. 140: Klappe © Thinkstock/iStock/popcic S. 141: © Hueber Verlag/Alexander Keller S. 142: Klappe © Thinkstock/iStock/popcic S. 143: Klappe © Thinkstock/iStock/popcic S. 144: A3 © Thinkstock/iStock/JackF S. 145: B2: A © PantherMedia/Benis Arapovic; B © Thinkstock/iStock S. 147: D1: a © Thinkstock/iStock/CREATISTA; b © fotolia/Ievgen Melamud S. 148: Reinigung © fotolia/Picture-Factory; Übersetzungsbüro © Thinkstock/Fuse; Flughafen © iStockphoto/Maxian; Reparatur © Thinkstock/FogStock/Vico Images/Erik Palmer S. 149: E2 © Thinkstock/Goodshot/Jupiterimages S. 151: Klappe © Thinkstock/iStock/popcic S. 152: Klappe © Thinkstock/iStock/popcic; Strand © Thinkstock/iStock/Martina Berg; Stroh © fotolia/PhotoSG; Moschee © fotolia/Ilhan Balta; Wald © Thinkstock/iStock/VChornyy S. 153: Neuschwanstein außen © PantherMedia/Manfred Stöger; Neuschwanstein innen © Glow Images/Deposit RF; Hohenschwangau © Thinkstock/iStock/swisshippo; Landschaft © Thinkstock/iStock/jimfeng S. 154: Klappe © Thinkstock/iStock/popcic S. 155: Klappe © Thinkstock/iStock/popcic; 4 © Thinkstock/Wavebreak Media S. 156: A1 Hintergrund © Thinkstock/iStock/Goodshoot; A2: Jacke © Thinkstock/iStockphoto; Brille © Thinkstock/iStock/badmanproduction; Stiefel © Thinkstock/iStock/popovaphoto; Schuhe © Thinkstock/iStock/lofilolo; Kleid © Thinkstock/iStock/Lalouetto; Hemd © Thinkstock/iStock/demidoffaleks; Tasche © fotolia/PhotoMan; Schirm © Thinkstock/iStock/berents; Anzug © iStockphoto/timhughes; Gürtel © Thinkstock/iStock/andrewburgess S. 159: C2: Stewardess © Thinkstock/Valueline/Digital Vision; Model © iStock/samaro S. 160: D2: Malte © Thinkstock/iStock/Art-Of-Photo; Anika © Thinkstock/iStock/Szepy; Raha © Thinkstock/iStock/Olga Sapegina; Mario © iStockphoto/4x6; Koffer von links: © Thinkstock/iStock/Михаил Некрасов; © Thinkstock/iStock/yevgenromanenko; © Thinkstock/iStock/Volodymyr Krasyuk; © Thinkstock/iStock/PixelEmbargo; Schuhe von links: © Thinkstock/iStock/zhaubasar; © Thinkstock/iStock/jokos78; © fotolia/Yeko Photo Studio; © Thinkstock/iStock/Naborahfatima; Räder von links: © Thinkstock/iStock/arquiplay77; © Thinkstock/iStock/Grzegorz Petrykowski; © iStockphoto/fjdelvalle; © Thinkstock/iStock/OCTOGRAPHER; Taschen von links: © Thinkstock/PhotoObjects.net/Hemera Technologies; © Thinkstock/iStock/zhekos; © Thinkstock/iStock/Pavel Zaytsev; © fotolia/Andrey Bandurenko S. 163: Klappe © Thinkstock/iStock/popcic S. 164: 1: A © Thinkstock/iStock/moodboard; B © fotolia/W. Heiber Fotostudio; C © Thinkstock/iStock/stask; D © Thinkstock/Wavebreak Media; Bus © PantherMedia/Philip Lange S. 165: Feuerzeug © Thinkstock/iStock/eaglesky; Brille © Thinkstock/iStock/WestLight; Schuhe © Thinkstock/iStock/ronstik S. 166: Klappe © Thinkstock/iStock/popcic S. 167: Klappe © Thinkstock/iStock/popcic S. 168: A3: Rosen © fotolia/Corinna Gissemann; Karneval © irisblende.de S. 170: Maria © Thinkstock/iStock/Mervana; Eduardo © Thinkstock/iStock/mocoo; Sibel © Thinkstock/iStock/Daniel Ernst; Pawel © Thinkstock/iStock/IPGGutenbergUKLtd S. 171: D1 © Thinkstock/Fuse S. 172: E1: A © Thinkstock/iStock/SamRyley; B © Thinkstock/iStock/ElenaVasilchenko; C © Thinkstock/iStock/juefraphoto; D © Thinkstock/iStock/edenwithin; E © PantherMedia/Carina Hansen S. 173: Ostern © Thinkstock/iStock/miriam-doerr; Weihnachten © Thinkstock/iStock/Catherine Yeulet; Nikolaus © PantherMedia/Christa Eder; E3: A © Thinkstock/iStock/fotohunter; B © fotolia/Joerg Rofeld Picture-Factory; C © fotolia/Tobilander; D © fotolia/Fotowerk S. 175: Klappe © Thinkstock/iStock/popcic S. 176: von links: © iStockphoto/imantsu; © fotolia/K.V.Krasnov; © iStockphoto/imantsu; © Thinkstock/iStock/Dainis Derics; © fotolia/Christian Schwier

Arbeitsbuch

Lernwortschatz